BORLEY CYMRU

BORLEY CYMRU

J. Towyn Jones

**Golygydd y gyfres:
Lyn Ebenezer**

Argraffiad cyntaf: Rhagfyr 2001

(h) awdur/Gwasg Carreg Gwalch

Rhif Llyfr Safonol Rhyngwladol: 0-86381-676-2

Cyhoeddir dan gynllun comisiwn Cyngor Llyfrau Cymru.

Cynllun clawr: Sian Parri

Argraffwyd a chyhoeddwyd gan Wasg Carreg Gwalch,
12 Iard yr Orsaf, Llanrwst, Dyffryn Conwy, LL26 0EH.
☎ 01492 642031
🖷 01492 641502
⌁ llyfrau@carreg-gwalch.co.uk
Lle ar y we: www.carreg-gwalch.co.uk

J. TOWYN JONES

Llywydd Cymdeithas Hynafiaethau Sir Gaerfyrddin; gweinidog
gyda'r Annibynwyr; darlledwr cyson ar deledu a radio; darlithydd a
storïwr.

I gofio fy nhad
T. EMRYS JONES
(Emrys Lan)
1917-2001
Cwmnïwr di-ail
storïwr difyr a thoreithiog
cymwynaswr glew a pharod.

CYDNABOD

Cyll unrhyw drafodaeth ei gwerth oni pherchir y ffeithiau yn llwyr. Ychwanegir, os rhywbeth, at y cyfrifoldeb hwnnw pan fo elfen esoterig o dan ystyriaeth. Rhaid diogelu dilysrwydd adroddiadau am y goruwchnaturiol drwy lynu wrth lythyren yr honiadau. Sicrheir y darllenydd i hynny ddigwydd yn yr achos hwn ac felly ni wna'r awdur ei hun yn fwch dihangol yn y ffordd arferol am unrhyw gamhysbysrwydd. Fel y dywedodd Antony D. Hippisley Coxe yn ei ragymadrodd i *Haunted Britain*, Hutchinson, 1973, tud. 11:

> Carwn wneud yn glir er y gwneir datganiadau positif megis: 'Y mae ysbryd Ladi Wen yn y castell', dylid cymryd hynny i olygu fod y lle yn cael yr enw, neu fe dybiwyd neu fe gredwyd fod hynny'n wir.

Rhaid cymryd pob gofal i sicrhau fod yr hyn a adroddir yn adlewyrchu'r dystiolaeth fel ag y mae, a hynny mor ddilwgwr ag sydd bosibl.

Gyda golwg ar ddehongli'r achos arbennig hwn, y mae'n ffaith fod aflonyddwch dwys ym mywyd person yn gallu rhoi bodolaeth weithiau i ffenomenâu na all seicolegwyr mo'u hesbonio hyd yma.

Nid wyf yn dal unrhyw un o'r bobl ganlynol yn gyfrifol am unrhyw wallau, oblegid cefais bob cymorth ganddynt ac yr wyf yn hynod ddyledus iddynt:

Staff Archifdy Caerfyrddin: John Davies, Pat Barratt, Ellen Francis, Caroline Jenkins; Yolande Clarke, *Church Times*; R J. Colori, Amgueddfa Waltham Forest; Y Parchedig A. D. Couchman, Walthamstow; Edna Dale-Jones; Dr Dilys R. Davies, Llundain a Sir Gaerfyrddin; Y Gwir Barchedig Roy T. Davies, cyn-Esgob Llandaf; Y Parchedig Jeffrey Gainer, Meidrim; Sheila Harries, Ysgrifennydd Arddangosfeydd Cymdeithas Gelf

Llanelli; Mr a Mrs E. H. John, Llangain; Dr R. Brinley Jones; Staff Llyfrgelloedd Abertawe: Marilyn Jones, Richard Brighton; Caerfaddon: Mrs M. Joyce; Caerfyrddin: Dewi P. Thomas, Mark Bowen, Mary Bowen, Jenny Gammon, M. Elonwy Phillips, Ela Sinnott; Hwlffordd: Tina Webb; Llanelli: Yvonne Jones; Llyfrgell John Oxley, Brisbane: Robert Longhurst; *The Society for Psychical Research*: Peter M. Johnson (Ysgrifennydd), y diweddar D. N. Clark-Lowes, Eleanor O'Keiffe; Deryck Powell; David Strecter, Additional Curates Society; Menai Street, Llanelli; Joan M. Thomas, Caerfyrddin.

Yn olaf, ond yn hollbwysig, bu'n hwylus a hawdd iawn delio gyda phersonél hyblyg Gwasg Carreg Gwalch, a gwerthfawrogaf hynny yn fawr.

CYNNWYS

RHAGYMADRODD

O'r holl fannau i'w hosgoi gefn trymedd nos, mynwent yng nghysgod hen eglwys fyddai bennaf ar restr y mwyafrif. Crea'r fath le anniddigrwydd oblegid y syniad cynhenid mai dyna fangre bwcïod a'r man mwyaf tebygol i ysbryd ymddangos. Yn y tywyllwch, mae'n debyg, mae naws hynafol y llan, ei amryfal gysgodion, a'r tabŵ a berthyn i weddillion marwol, yn cyfuno i fytholi'r gred.

Adlewyrchir y syniad drwy'r cenedlaethau. Rhoes Shakespeare fynegiant i'r peth yn *A Midsummer Night's Dream:*

... ghosts, wandering here and there,
Troop home to churchyards ...

Gweddai arddull ddigymar Arthur Rackham i'r dim i ddarlunio'r olygfa yna o'r *Dream* (argraffiad Heinemann, 1908) ac yn gyfeiliant cydnaws, o ganol nos hyd ganiad y ceiliog, caed *Danse Macabre* Saint-Saëns (1874). A theitl un o gasgliadau enwog cynharaf y Fonesig Cynthia Asquith o storïau ysbrydion (a gyhoeddwyd ym 1931) yw *When Churchyards Yawn.*

Yn *Crwydro Ceredigion*, Llyfrau'r Dryw 1952 (tud. 97) dyfynnodd T. I. Ellis lenor anhysbys a adroddasai am brofiad ei dad-cu wrth ddychwelyd heibio i eglwys Dihewid un noson:

Distawrwydd hollol, oddieithr clip-di-clop traed y ceffyl yn torri ar dawelwch y nos: ambell ysguthan groendenau yn cyhwfan yng nghlochdy'r eglwys ger llaw. Nesâi yn gyflym at y glwyd. Clywodd hi'n agor drwy raean mân y llwybr. Cerddodd y ceffyl ymlaen yn hamddenol, ond safodd calon 'nhaid yn ei wddf. Caeodd y glwyd yn sydyn, a gwelodd ... glamp o anifail du ofnadwy a 'thair llath' o gynffon wen, yn prysuro'n gyflym a mynd i mewn drwy ddrws yr eglwys. Cydiodd sawdl 'nhaid yng nghroen y ceffyl ac ni throediodd neb erioed cyn gyflymed drwy'r pentref a'r noson honno.

9

Gellid tybio y buasai'r 'blychau' y soniodd T. Rowland Hughes amdanynt, sef y tai cwrdd Ymneilltuol diaddurn, yn llai bygythiol liw nos, ond ceir ambell stori go ysgeler am gapeli a'u mynwentydd. Prin fod hanesyn mwy iasoer yn holl gasgliad y Parchedig Edmund Jones o erchyllterau, *Apparitions of Spirits in the County of Monmouth and the Principality of Wales*, (1767, 1780 ac 1813), na hwnnw am gapel hanesyddol Henllan Amgoed ger yr Hendy-gwyn ar Daf. Gallasai yn wir fod ymhlith y rhai y cyfeiriodd Syr John Rhys atynt yn *Celtic Folklore*, Rhydychen, 1901 Cyf. 1, (tud. 195) fel: *'frequently of a ghastly nature, and sometimes loathsome'*.

Coel gyffredin am rag-ddweud y dyfodol a adlewyrchir yn stori Henllan Amgoed. Amrywiai'r gred ychydig o ardal i ardal, ond petai rhywun yn aros ym mhorth eglwys – neu gapel – ryw noson (nos Calan Gaeaf fel arfer, ond nid yw Edmund Jones yn nodi hynny) yna câi wybod pwy a fyddai farw yn ystod y flwyddyn ganlynol. Wedi tablenna digon i fagu hyder, aeth dyn ifanc o'r enw Reynolds i gadw gwyliadwriaeth yng nghyntedd tŷ cwrdd Henllan, yn unol â'r gred leol y gwelid yn ystod y nos y rhai a oedd i farwyn ystod y flwyddyn yn pasio heibio tuag at fan eu claddu. Adroddid yn yr ardal fod rhywun a fentrodd ar y fath antur wedi gweld *ei hunan*, ac i hynny rag-ddweud ei dranc. Wedi iddo eistedd yno am dipyn, tywyllwyd y lle gan niwl trwchus ac fe'i brawychwyd drwyddo. Gwelwyd, pan gyrhaeddodd adref, fod y rhan o'i wallt a oedd agosaf at y ddrychiolaeth wedi troi'n wyn, ac felly y bu hyd ddiwedd ei ddyddiau, a'i berchennog yn edifeiriol am ei ryfyg. Brwydro yn erbyn Sadwceaeth, wrth gwrs, nid cymeradwyo nigromans, oedd amcan yr 'Hen Broffwyd' o Bontypŵl wrth groniclo'r achos, egwyddor a drafodir ychydig yn fanylach yn nes ymlaen.

Cysylltir coelion rhagweledol eraill â'r gladdfa yn yr ystyr mai tuag yno y cyfeiriai'r Gannwyll Gorff a'r Toili o wely angau y sawl a oedd ar drothwy tragwyddoldeb. Amhriodol, er hynny, gan fod y storïau amdanynt mor niferus, a bod unrhyw fan neu, nodwedd ddaearyddol ar y daith cyn bwysiced â'r llall, yw canoli sylw ar unrhyw eglwys benodol fel y gwna Chris Barber, e.e. yn *Ghosts of Wales*, Caerdydd, 1979 (tud. 47-8), heb sôn am ei gyfeiriad at y ffenomen fel 'The Teula' a'r dehongliad ohono fel 'The Goblin Funeral'. Prin bod unrhyw ardal gynt heb storïau felly.

Annilys yw'r hen ffobiau er hynny. Er gwaethaf y ffaith bod yr hyn a nodwyd yn ymddangos fel petai'n cadarnhau'r rhagdybiaeth, pur anghyffredin, mewn gwirionedd, yw storïau ac iddynt unrhyw hygrededd am ysbryd mewn mynwent.

Bu digwyddiad anarferol yn y traddodiad daroganol, fe ymddengys, mor ddiweddar â phumdegau cynnar y ganrif ddiwethaf, mewn cysylltiad â'r capel Anghydffurfiol lle maged yr awdur. Adeilad gosgeiddig yw hwnnw, ieuengach na'r mwyafrif o gapeli ac felly heb unrhyw naws hynafol liw dydd na dim bygythiol yn ei amgylchedd ar ôl iddi dywyllu. Saif ar ganol lawnt helaeth, raenus, wedi ei chwmpasu gan fur uchel a chymen o gerrig. Nid oes mynwent ar ei gyfyl. Ni pherthyn i'r lle, felly, unrhyw arlliw o'r awyrgylch brawychus hwnnw sydd yn rhagamod ymddangosiad ysbryd pan ddisgynna'r nos. Ac eto, ar ddau achlysur yn ystod gwaeledd olaf hen wraig a oedd yn byw gerllaw, un y mae gennyf gof plentyn amdani, gwelodd gwahanol dystion (dwy gyfnither ifanc yn cydgerdded y tro cyntaf) yr hyn na ellir ei ddisgrifio ond fel 'ladi wen' yn ymyl y capel, pa mor dila bynnag y mae hynny'n swnio. Bu farw'r wreigdda ymhen ychydig ddyddiau.

* * *

Eto i gyd, er nad oes sylwedd i'r ofn oesol o fynwentydd, nid oes brinder tystion diffuant sy'n honni iddynt gael profiadau hynod mewn hen eglwysi, rhai ohonynt mor gyfriniol gysegredig fel y buasai'n gwbl anaddas i ymdrin â hwy yn y cyd-destun yma, megis yr hyn a ddigwyddodd i ofalwraig eglwys Llanwinio, Sir Gaerfyrddin, un dydd Nadolig, ac i ddiweddar reithor Maenordeifi wyngalchog. Gellid cyfeirio at amryw o brofiadau arallfydol eraill mewn eglwysi megis Llandysul, Llangathen, Nanhyfer, a chadeirlan Tyddewi ei hun, i nodi ychydig enghreifftiau yn unig.

Ar wahân i ambell gyfeiriad mewn amryw o gyhoeddiadau Saesneg eilradd, na cheir ynddynt ymchwil wreiddiol na gofalus ac sy'n gwbl amddifad o ffynonellau a chyfeiriadaeth, ychydig a ysgrifennwyd am y goruwchnaturiol mewn perthynas ag eglwysi Cymru. Cyhoeddwyd sawl cyfrol gyfan yn canolbwyntio ar eglwysi Lloegr. Y gynharaf ohonynt yw *Haunted Churches* (Quality Press, 1939) gan yr arbenigwr toreithiog Elliott O'Donnell. Yna, *Haunted Churches and Abbeys of Britain* (Arthur Barker, 1978) gan Marc Alexander. Er gwaethaf y teitl, tenau iawn yw'r deunydd ynddo am Gymru a'r Alban. Cyfyngodd Graham J. McEwan ei waith yn llwyr i eglwysi Lloegr yn *Haunted Churches of England: Ghosts Ancient and Modern* (Robert Hale, 1989) ond mae'n gyfrol gymeradwy iawn a hynod ddarllenadwy.

* * *

Soniwyd am fynwentydd, eglwysi a chapeli, ond ni chyfeiriwyd eto at adeiladau eraill sy'n gysylltiedig â hwy, rhai ohonynt hwythau'n hynafol, a llawer yn cael y gair o fod â rhywbeth annaearol yn anesmwytho arnynt. Gwnaed honiadau felly am amryw o ficerdai a rheithordai ac, yn aml iawn, y periglor ei hun – unigolyn y gellir dibynnu ar ei eirwiredd bron yn ddieithriad – a wnaeth yr haeriad, a hwnnw'n cael ei ategu gan dystion gonest eraill.

Cyfeiriwn yn y man at yr 'heliwr ysbrydion' Harry Price (1881-1948) a'i ran yn achos Rheithordy Borley yn Essex. Daeth i enwogrwydd fel yr un a ddaeth ag ymchwil seicig i sylw'r cyhoedd, ond deil i fod yn gymeriad dadleuol dros hanner canrif ar ôl ei farw. Pa ddiffygion bynnag a oedd ynddo, cyflawnodd lawer o ymchwil nodedig a defnyddiol, ac mae ei lyfrgell yn Senedd-dy Prifysgol Llundain yn gasgliad pwysig o lyfrau a llawysgrifau. Dyna oedd ei gyfraniad mwyaf, yn ôl Trevor M. Hall, un o'i feirniaid llymaf.

Ar sail ei brofiad a'r deunydd perthnasol sylweddol iawn a gasglodd, mynnai Price, a oedd yn eglwyswr selog ei hun, fod clerigwyr yn dod wyneb yn wyneb â ffenomenâu goruwchnaturiol yn amlach na neb, ac mai hwy hefyd a groniclodd lawer o'r achosion mwyaf neilltuol. Ni chynigiodd reswm am ei haeriad cyntaf. Ac er mor gyfareddol yr ystyriaeth, ni wnawn ninnau chwaith ymdroi o'i gwmpas o fewn gofod yr astudiaeth hon. Cyflwynwn, yn hytrach, yr amgylchiadau fel yr oeddynt yn un o ficerdai Cymru yn nawdegau canrif Fictoria, y digwyddiadau honedig hynod yno a'r cefndir iddynt, gan nodi yn ostyngedig – gan fod clerigwyr yn amlwg yn yr hanes hwnnw eto – fod cynnwys y gyfrol yn gadarnhad pellach o gywirdeb gosodiad Price.

Nid oes unrhyw amheuaeth nad yw Harry Price yn iawn yn hynny o beth. Ar wahân i'r achosion a ddaeth i'w sylw arbennig ef yn ei gyfnod, ac a restrir ganddo yn ei gyfrol *Poltergeist Over England*, Country Life Limited, 1945, pennod XXVI, gellir taflu trem yn ôl dros lawer cenhedlaeth a chael mai gweinidogion ordeiniedig, o'r naill draddodiad neu'r llall, a fu'n rhoi'r eitemau arallfydol ar gof a chadw, sef helbulon o'r natur yma, nas deisyfwyd mewn ficerdai, rhai a ddaeth i ran clerig a gweinidog yn ddigymell yn rhywle arall, neu a wnaed yn hysbys iddo. Yn ystod y rhan helaethaf o'r ddwy ganrif ddiwethaf, nid yw'r ffaith mai hwy a fu'n bennaf cyfrifol am groniclo digwyddiadau o'r fath yn golygu fod ganddynt, o angenrheidrwydd, unrhyw gymhelliad pellach dros wneud hynny. Wrth reswm, golygai natur eu galwedigaeth eu bod yn debygol o ymateb gyda diddordeb i unrhyw beth a ymddangosai fel ffenomen arallfydol a'u bod, ran amlaf, wedi eu cofnodi'n frwdfrydig – er nad oeddynt i'w hystyried yn bobl hygoelus. Yr hyn a gaed ganddynt oedd adroddiadau rhesymol o ryw brofiadau penodol a ddaeth i'w rhan.

Bu cyfnod trosiannol yn agwedd gweinidogion yn ystod

rhan gyntaf y bedwaredd ganrif ar bymtheg. Pa mor gryf bynnag eu hargyhoeddiad o realiti drychiolaethau, ni chymhellwyd hwy fel eu rhagflaenwyr i geisio mantais ysbrydol o'r ffaith. Y Parchedig John Jones, Talysarn, fel y dywed y *Bywgraffiadur Cymreig*, oedd un o'r 'grymusaf o bregethwyr a gafodd Cymru erioed'. Nodweddid ei bregethau, meddir, gan 'nerth, nerth meddwl, nerth ymadrodd, nerth argyhoeddiad ac ymgysegriad, a rhoddai bwyslais arbennig ar yr ymarferol'. Ar yr un pryd, yn ôl y Parchedig John Jones, Bryn'rodyn, ei gydymaith ar ei daith trwy'r De ym 1847, yr oedd ganddo 'grediniaeth gref mewn ysbrydion'. Wedi gwrando ar dystiolaeth 'gwraig eirwir a chrefyddol' am doili a welsai hi ei hun ganol dydd ar y ffordd i Dyddewi, ymateb y cawr o Dalysarn oedd:

Pa fodd y gall neb wadu tystiolaethau mor ddifrifol, ac yn ymddangos yn cael eu rhoddi mor eirwir a didwyll? O'm rhan i, nid wyf yn gallu deall pa beth y mae y bobl yn geisio ennill wrth wadu ffeithiau o'r fath yma.

Ac ychwanega'r sylwebydd hyn amdano:

Nid oedd efe mewn un modd yn ddyn gwlanennaidd ac ofnus. I'r gwrthwyneb, cerddai ar draed, neu ynte elai ar ei geffyl, i unrhyw fan y nos fel y dydd. Ond cydnabyddai y teimlai ryw fesur o arswyd, os digwyddai iddo fyned, yn y nos, heibio i ryw fan y digwyddasai rhyw ddamwain angeuol ynddo i ddynion hynod o annuwiol.

(*Cofiant y Parchedig John Jones, Talsarn, mewn cysylltiad â Hanes Diwinyddiaeth a Phregethu Cymru*, Owen Thomas, Hughes a'i Fab, 1874, tud. 660-1)

Mewn oes flaenorol buasai, mae'n debyg, wedi rhoi cyhoeddusrwydd pwrpasol i'w farn.

Genhedlaeth yn gynharach yr oedd ei gyd-Fethodist enwog, William Williams, Pantycelyn, yn ofni ei gysgod yn y pethau hyn:

Yr oedd mor nervous yn ei ddyddiau diweddaraf fel yr oedd Mali, druan, [ei briod] yn gorfod mynd yn gydymaith iddo ar ei deithiau, oblegid yr oedd ofn bwganod, canhwyllau cyrff, ac ellyllon eraill arno gymaint fel na feiddiai fod allan yn y nos wrtho'i hun!

(*Holl Weithiau Prydyddawl a Rhyddieithol y diweddar Barchedig William Williams, Pant-y-celyn*, J. Rh. Kilsby Jones, MacKenzie, 1867 tud. XII; *Y Pêr Ganiedydd* Gomer Morgan Roberts, Cyf. 1 Gwasg Aberystwyth, 1949, tud. 194-6.)

Yn wahanol, er hynny, i'w gyfoeswr Edmund Jones o'r Transh, ni thueddai Pantycelyn i geisio elwa'n genhadol o'i goelion.

Ar y llaw arall, sylwyd eisoes mai bwriad pendant a chwbl agored 'Yr Hen Broffwyd' o Bont-y-pŵl wrth gasglu a chyhoeddi ei ddeunydd rhyfedd oedd argyhoeddi'r sgeptigiaid o realiti'r dimensiwn ysbrydol a, thrwy hynny, o fodolaeth y Dwyfol. Parhau a wnâi yn hynny o beth, mewn traddodiad ag iddo bellach hen gynseiliau a'r dyheadau parchusaf. Camddehongliad llwyr o'i amcan yw digowntio (fel y gwna y *Bywgraffiadur*) ei *Relation of Apparitions* fel dim ond 'casgliad diddorol o lên gwerin'.

Sonnir eto isod am Reithordy Epworth, cartref y teulu Wesley. Bu'r enwog John Wesley a'i frawd Samuel â rhan bwysig mewn dod â'r hyn a ysgrifennodd eu tad: *An account of noises and disturbances in my house at Epworth, Lincolnshire in December and January 1716-17* i sylw'r cyhoedd, sydd yn arwyddocaol o bosibl nid yn unig oblegid eu hurddau ond am fod ei gofiannydd, W. Tyerman, yn dweud yn ddigamsyniol fod John yn hollol argyhoeddedig o fodolaeth ysbrydion a drychiolaethau ac mai'r aflonyddwch yn Epworth a ysgogodd ei gred a'i ddiddordeb (*Life and Times of the Reverend John Wesley*, Llundain, 1880, Pumed Argraffiad, Cyf. 1, tud. 22). Protestiodd yn wir rhag anwybyddu adroddiadau am wrachod a bwganod fel coelion ofer ac awgryma hynny gymhelliad dros roi cyhoeddusrwydd i'r hyn a ddigwyddodd yn ei hen gartref. Yr agwedd yma oedd un o'r ffactorau a wnâi i'r bonedd dueddu i ymddieithrio rhagddo, tra oedd y gwrthwyneb yn wir yn ei berthynas â'r werin. (*Stability and Strife: England 1714-1760*, W. A. Speck, 1977, tud. 117.)

Mynegwyd y rhesymeg yma yn ddiamwys yng Nghymru dros hanner canrif cyn ymddangosiad cyntaf cyfrol Edmund Jones. Ficer Llangatwg Glyn Nedd, Dafydd Lewys (hynafiad teulu Mansel Lewis y Strade, Llanelli), oedd awdur *Golwg ar y Byd* a gyhoeddwyd ym 1725, y llyfr Cymraeg cyntaf i drafod pynciau gwyddonol. Croniclodd y clerigwr achosion goruwchnaturiol hynod ddiddorol ynddo, a gwnaeth y sylw yma ar ddigwyddiadau yn Llangeler:

> Fe debygai un, na byddai raid ynghymru dros ein Hamser ni, wrth un Hanes arall i sicrhau i Ddynion fod Ysbrydion, a'i bod yn gwneuthur llawer o bethau gweledig yn y Byd, ond eto er hyn i gyd, y mae, ac fe fydd llawer o Saduceaid yn ein plith, y rhai sy'n gwadu fod Ysbryd, na Duw chwaith yn eu Calonnau.

> Rhagfynegiad o eiriau Edmund Jones a John Jones, Talysarn (gw. erthygl 'Llyfrau Cymraeg a'u Darllenwyr 1696-1740' Aneurin Lewis, Caerdydd, *Efrydiau Athronyddol* 1971)

Dilynent ragflaenwyr enwog. Dyna feddylfryd arweinwyr Cristnogol blaenllaw yn yr ail ganrif ar bymtheg. Ym 1681, flwyddyn ar ôl marw'r awdur Joseph Glanvill, gweinidog Anglicanaidd a chaplan y Brenin Siarl II, cyhoeddwyd ei gasgliad *Saducismus Triumphatus: or a full and plain evidence concerning Witches and Apparitions* (a chaed sawl argraffiad diweddarach; gw. hefyd *Joseph Glanvill and Psychical Research in the Seventeenth Century*, H. S. ac I. M. L. Redgrove, William Rider, 1921). Cymerai yr Anghydffurfwyr cynnar iawn cymaint o ddiddordeb mewn casglu a chyhoeddi enghreifftiau o brofion am fodolaeth byd anweledig.

Yn fynych bu awydd cyffredin y ddwy ochr i wybod a deall mwy am y diriogaeth anghorfforol yma yn gyfrwng i bontio'r gagendor athrawiaethol rhwng Anglicaniaeth ac Ymneilltuaeth. Er enghraifft, parchai Glanvill a'r Esgob Edward Fowler o Gaerloyw yr anghydffurfiwr adnabyddus Richard Baxter, er mai drwy broselytiad yr aethai Fowler i'r eglwys wladol, ac mai crefyddwyr felly yw'r mwyaf eithafol ac anghymodlon fel arfer.

Ei ddifenwi yn enbyd er hynny a gafodd y difinydd oedrannus gan Jeffreys, yr adyn hwnnw o farnwr, a'i alw yn 'old rogue, a schismatical knave, a hypocritical villain.' Rai blynyddoedd ar ôl y blagardio yma cyhoeddodd Baxter ei waith enwog *The Certainty of the Worlds of Spirits ... Proving the Immortality of Souls ... Written for the Conviction of Sadduces and Infidels*. Ymhlith yr enghreifftiau o ymddangosiadau ysbrydion yn y gyfrol ceir rhai cyfareddol o Gymru, a bu gohebiaeth ddiddorol rhyngddo a John Lewis, Glasgrug, yr awdur Piwritanaidd, a'r Dr John Ellis, Dolgellau, ar faterion o bwys oesol.

Dyna amlinelliad syml o feddylfryd gwahanol genedlaethau am y pwnc. Yn anorfod gadawyd allan amryw fyd o enwau blaenllaw yn y maes, ond eto ar yr un pryd dangoswyd mor amlwg yn hanesyddol y bu clerigwyr drwy'r adeg mewn adroddiadau am ymddangosiadau seicig.

Ni fu prinder chwaith o ficerdai, rheithordai, canondai a deondai yng Nghymru a Lloegr a gafodd y gair rywdro o fod ag ysbryd neu ryw aflonyddwch annaturiol ynddynt. Rheithordai Epworth a Borley yn Lloegr oedd y ddau enwocaf, ond cafodd un neu ddau yng Nghymru hefyd gryn dipyn o gyhoeddusrwydd. Rhannu'r gyfrinach erchyll mewn sibrydion â chyfeillion yn unig a wnaeth tenantiaid ambell dŷ eglwysig arall ar hyd y blynyddoedd. I'r gwrthwyneb, bu mwy o sŵn nag o sylwedd am ambell achos megis yr un a ganlyn o Abertawe.

Y wasg yw tarddle llawer iawn o ysbrydion drwg, a rhai digon aflan yn eu plith. Y diniweitiaf ohonynt yw 'diawl bach y wasg' a cheir enghraifft ddifyr, ond tra anffodus, o ymddangosiad hwnnw yn yr hanes a adroddir yn y gyfrol hon. Agwedd gafaliraidd sydd gan bapurau newydd at y gwir yn aml, a phartnerant yn hapus â chelwydd golau. 'Cum grano salis', felly, piau hi gyda phopeth mewn newyddiaduron, yn enwedig adroddiadau o'r natur yma. Esiampl berffaith o hynny oedd yr eitemau ym mhapurau de ddwyrain Cymru yn haf 1887 am gartref y Parchedig David Phillips, gweinidog gyda'r Methodistiaid Calfinaidd yn St George's Terrace, Abertawe.

Torrodd pandemoniwm anghydweddol ar draws heddwch syber aelwyd y gweinidog craff ei feddwl, na ellid mo'i esbonio meddai'r papurau, er i'r Parchedig a'i fab, Mr Martin Luther Phillips, B.A., wneud pob ymdrech i esbonio'r dirgelwch mewn rhyw fodd rhesymol. Heb help dynol trodd gwelyau wyneb i waered; trawsleolodd celfi sylweddol, gan gynnwys haff-drôrs, eu hunain; agorodd drws ohono'i hun pan oedd rhywun am adael yr ystafell. Brawychwyd y teulu yn ddifrifol gan y cyfan, ac erbyn i'r peth ddod yn hysbys ymhen deufis ni threulient ond cyn lleied o amser ag a oedd yn bosibl yn y tŷ. Dychwelasai y rhai oedd yn gweini, ond ni chysgent yno ond pan oedd eu meistr yn bresennol. Cadw i ffwrdd er hynny a wnaethai Mrs Phillips (gw. e.e. *The Cambria Daily Leader*, Gorffennaf 5, 1887, tud. 3, col.ii).

Yn ffodus mae gelyniaeth, cenfigen a chasineb y papurau tuag at ei gilydd a'u hawydd weithiau i achosi niwed, y naill i'r llall, yn rhoi cyfle i'r gwirionedd lithro i'r golwg ar eu gwaethaf. Yn yr achos yma achubodd y *The Cambrian* – newyddiadur cyntaf Cymru a gyhoeddid yn Abertawe – ar y cyfle i lambastio: *'certain of our local daily contemporaries [who] have this week been indulging in a little of the most fulsome journalistic degradation that even they are capable of. The Cardiff Conservative organ* [sef y *Western Mail*] *made the startling announcement &c.*' Buont yn rhaffu celwyddau, yn ôl y *Cambrian*. Unig sail y stori fawr, meddai, oedd bod y forwyn wedi hysbysu Mr Phillips pan ddaeth adref o'r capel un diwrnod bod dillad gwely wedi eu taflu ar lawr mewn ffordd annisgwyl. A dyna'r cyfan! Bu aelodau'r teulu yn absennol o'r tŷ am eu bod yn Wells ar eu gwyliau yn ôl eu bwriad. (*The Cambrian* Gorffennaf 8 1887; gwthiwyd dwy stori yn un i lunio'r cyfeiriad cwbl gamarweiniol at ddynes yn cael ei thrawsgludo'n gorfforol allan o'r tŷ yn Abertawe yn *Poltergeist Over England* op. cit. tud. 314. Ond dyfynnu o waith yr Americanwr ecsentrig Charles Fort, Efrog Newydd, a wnaed, ac felly esgusodir yr awdur am y tro.)

Anelwyd yr un cyhuddiad at y ddau reithordy enwog yn Lloegr, Epworth a Borley. Beirniad digymrodedd (os nad obsesiynol) Harry Price, fel y crybwyllwyd eisoes, oedd Trevor H. Hall (1910-1991), a chyflawnodd ymchwiliadau rhagfarnllyd braidd i fywyd Price ac i rai achosion enwog yn ymwneud ag ysbrydion. Gweler, er enghraifft, ei drafodaethau o Epworth a Borley yn ei lyfr *New Light on Old Ghosts*, Duckworth, 1965. Nid oes dim yn fwy angenrheidiol yn y pethau hyn nag arolwg cytbwys. Brasolygon cyfyngedig iawn er hynny o'r ddau achos y gellir eu cynnwys yma.

Rhwng mis Rhagfyr 1716 a Ionawr 1717, aflonyddwyd ar gartref y Parchedig Samuel Wesley a'i briod Susan, yn Epworth gerllaw Doncaster, tŷ newydd nad oedd ond wedi ei adeiladu ym 1709, gan bob math o ddigwyddiadau annaturiol. Gadawsai yr enwog John, sefydlydd Methodistiaeth, y nyth eisoes, ond yr oedd eraill o'r plant yno. Tybiwyd fod y cythrwfl yn troi o gwmpas un o'r merched, sef nith bedair ar bymtheg oed o'r enw Mehetabel a elwid yn Hetty. Clywid yr amrywiaeth rhyfeddaf o synau anesboniadwy: gwydr yn torri; poteli yn chwalu'n deilchion; arllwys arian; jac yn cael ei ddirwyn i fyny; nifer o bobl yn cerdded o gwmpas ar y llofft ac yna'n rhedeg i fyny ac i lawr y grisiau; ochneidiau a chwerthin gwawdlyd. Un noson, pan oedd sŵn cnocio ar ei anterth, ceisiodd y ferch, Amelia, ddal clicied y drws i'w rwystro rhag agor. Ond methodd, ac fe'i gwthiwyd i'w herbyn yn ffyrnig gan rym anweledig. Ymatebai'r poltergeist weithiau i guriadau ffon Samuel ar y llawr gyda nifer o dapiadau – peth rhyfedd ynddo'i hun oblegid mae'n debyg, yn ôl y gwybodusion, nad yw endid o'r fath fel rheol yn arddangos unrhyw ddeallusrwydd. Ni frawychwyd mo'r plant gan yr ysbryd; yn wir rhoesant lysenw arno, 'Yr Hen Sieffre', ac fel pob ffenomen debyg, ciliodd ar ôl ychydig fisoedd. O ran diddordeb, damcaniaeth Trevor Hall yw fod a wnelai'r ffaith nad oedd y plwyfolion yn hoff o'u rheithor fwy nag ychydig â'r peth.

Yn wahanol i'r cartref enwog yn Epworth, sydd ar agor i'r cyhoedd o Fawrth hyd ddiwedd Hydref bob blwyddyn, nid yw rheithordy Borley yn bodoli ers blynyddoedd. Llosgodd yn llwyr, ond ni ddiffoddodd ei enw drwg fel *the most haunted house in England*', a chred nifer fod tipyn mwy yn aros nag 'arogl mwg lle bu', sef lleian, medd llawer, nad ydyw o'r byd hwn.

Clamp o hen dŷ mawr salw ac anghyfforddus oedd Borley, a godwyd gan y Parchedig H. D. E. Bull ym 1863. Fel Wesley yr hynaf, cafodd ef a'i briod, Caroline, deulu enfawr a bu'n rhaid helaethu'r adeilad gwreiddiol i ddal eu holl blant. Danfonodd wàg o gyfaill, y cyfreithiwr amryddawn o Lundain, Richard Rose (awdur y gyfrol wyddoniadurol *Pembroke People*), adysgrifiad imi rywdro o'r manylion am Borley yng Nghyfrifiad 1881. Awgrymai, gan fod deunaw o bobl yn byw yno – gan gynnwys Maria Rolt, dysgodres o'r Swistir – nad oedd lle ar ôl ar gyfer unrhyw (i ddefnyddio ei air ef yn adleisio Dr Johnson mewn cyd-destun tebyg) 'visitants' eraill! Cartrefent mewn tŷ digon tebyg i'r mwyafrif o ficerdai, gan gynnwys yr un yn St Paul, Llanelli.

Nodweddid tai yr offeiriaid, wrth gwrs, gan eu maint sylweddol. Ail yn unig i'r plas oedd cartref periglor yr eglwys fel rheol, ac amlygai ei statws yn y gymdeithas. Yn draddodiadol, gwasanaethai etifedd y sgweier y wladwriaeth yn lifrai'r goron. Hawliai yr offeiriadaeth yr ail fab a golygai natur beryglus swydd y mab hynaf y deuai'r teitl a'r ystâd yn ddisyfyd weithiau i'r mab iau. Yn aml cynrychiolai offeiriad dras a gwaedoliaeth ac yr oedd megis yn disgwyl yn yr esgyll. Ceid dosbarth a elwid yn sgweiersoniaid, sef perchenogion tir a oedd hefyd mewn urddau eglwysig, cyfuniad o'r sgweier a'r person (gw. *The South Wales Squires*, Herbert M. Vaughan, (Methuen, 1926), Golden Grove, 1988, Pennod 11). Dywed Harry Price fod adeiladydd Borley yn 'squarson' nodweddiadol (*Poltergeist Over England* op. cit. tud. 279). Yn ogystal â'r elfen yna, yr oedd yn ofynnol i'r eglwys wladol arddel ei hawliau mewn cymdogaeth. Golygai yr ystyriaethau hyn fod cartref offeiriad yn aml, os nad yn hynafol, bron yn ddieithriad yn fawreddog o ran maint, pensaernïaeth ac amgylchedd coediog.

Aflonyddwyd ar Reithordy Borley dros gyfnod maith, yn ôl y sôn, gan amrywiaeth o ysbrydion. Safai'r lle dros y ffordd ac yn union gyferbyn â'r eglwys lle gwasanaethodd sawl cenhedlaeth o'r teulu fel offeiriaid, gan sicrhau didoredd y traddodiad am gysylltiad y paranormal â'r fan dros y blynyddoedd. Ymhlith y digwyddiadau honedig rhyfedd, tybiodd rhywun iddo weld ysbryd y Parchedig Harry Bull, mab yr adeiladwr. Y lleian ledrithiol, er hynny, fu'r mwyaf dyfalbarhaol, ond ceid sôn am bob math o 'gysgodion' eraill o gwmpas y lle. Un ohonynt oedd yr hynotaf (efallai!) o fwganod traddodiadol y nos: coets fawr a cheffylau duon yn rhithio drwy'r tywyllwch. Pa mor anghredadwy bynnag yr ymddengys y ddrychiolaeth, ceir enghreifftiau lluosog ohoni ar draws Cymru a Lloegr, un mor ddiweddar â 1964 pan dyngodd peiriannwr ifanc fod coets afreal wedi llithro o'r caddug tuag ato ryw noson pan oedd yn ei fen ar lôn unig ar gyrion Llanelli.

Ar wahân i'r pethau rhyfedd a welid yno, aflonyddid ar y lle gan bob math o synau anesboniadwy ac anesmwythol megis llais dynes, sibrydion, ceffylau'n carlamu, ci yn troedio o gwmpas ystafell, sgriffiadau, canu clychau di-baid, oernadau, llestri'n cwympo, ffenestri'n chwalu, celfi'n symud, miwsig 'tebyg i gerddoriaeth eglwysig' ac ati. Ar ben hynny ymddangosodd negeseuon ar furiau ac ar ddarnau o bapur, am ymbiliadau pathetig am help, offeren dros y meirw a gweddïau.

Ymwelodd Harry Price â Borley am y tro cyntaf ar Fehefin 12, 1929 a bu'n gysylltiedig â'r lle hyd ei farw. Cymerodd y lle ar rent am flwyddyn o fis Mai 1937 ymlaen er mwyn gwneud astudiaeth drylwyr o'r hyn a ddigwyddai yno, a chyhoeddodd ddau lyfr: *The Most Haunted House in England*, Longmans, Green, 1940, a *The End of Borley Rectory*, Harrap, 1946. Sicrhaodd y rhain, ynghyd â nifer lluosog o lyfrau eraill a rhaglenni am yr achos, fod Borley wedi dal diddordeb y cyhoedd ar hyd y blynyddoedd er iddo fynd ar dân ym 1939 a chael ei ddymchwel ym 1944.

Yn gam neu'n gymwys, cafodd yr enw o fod â mwy o ysbrydion yn llechu o'i gwmpas nag unrhyw dŷ arall yn y wlad.

Perthynai llawer o elfennau cymhleth i'r hanes hwn fel i gynifer o achosion tebyg, gan gynnwys un ffactor gyffredin: rhyw ddiflastod mewn cysylltiadau dynol. Fe ddangosir yn y gyfrol hon fod yr amgylchiadau yn St Paul, Llanelli, yn enghraifft glasurol o hynny. Esiampl astrus o'r peth yn Borley, y dadleuwyd ac y damcaniaethwyd llawer amdano, oedd cyfnod y rheithor olaf i fyw yn y tŷ yn y tridegau, sef y Parchedig Lionel A. Foyster (cysylltiad teuluol agos i'r Bulliaid): dyn oedrannus, clafychus a chanddo briod ifanc ddeniadol. A lletywr.

Yn amlwg, tasg amhosibl fyddai cyflwyno crynodeb digonol o'r fath achos dyrys mewn ychydig baragraffau, yn enwedig o gofio bod yr honiadau am y safle, ac am yr eglwys ar draws y ffordd, wedi parhau hyd heddiw (gw. er enghraifft, *True Ghost Stories of our own time*, Vivienne Rae-Ellis, Faber, 1990, tud. 164-6). Hell's Angels ymddangosodd yno ar fy ymweliad i ugain mlynedd yn ôl ar daranau o foto-beics. Ond wedi gorchfygu fy mraw a'm rhagfarn, cydgordiodd ein diddordebau er mantais i bawb ohonom. Bu yn wers arall i minnau nad 'wrth ei big y mae prynu cyffylog'.

Ni ddylid digowntio'r egwyddor o beidio â barnu yn ôl y

golwg ar unrhyw achlysur, ac yn arbennig felly mewn maes sydd mor ddirgelaidd â hwn. Cododd llawer o'r amheuon ynglŷn â didwylledd Harry Price yn sgil ei ymwneud â Rheithordy Borley, ond y mae dwy ochr i'r stori honno fel y dengys trafodaeth John L. Randall, *Harry Price: The Case for the Defence* yn *Journal of the Society for Psychical Research* Cyfrol 64.3, Rhif 860, Gorffennaf 2000, tud. 159-176. Uniaethwyd deallusrwydd yn rhy aml ac absenoldeb hiwmor ag ymddygiad dwys a difrifol, ac yn ddigwestiwn codwyd gwrychyn rhai gan y siewmon ym mhersonoliaeth Price.

Na foed unrhyw betruster, felly, ynglŷn â'r sawl a fu'n ymchwilio i'r hyn a honnwyd am Ficerdy St Paul, Llanelli. Clerigwr syber, unplyg ac uchel ei barch gan bawb oedd y Parchedig Alfred Trimble Fryer. Ac ar fwy nag un achlysur danfonodd adroddiadau gofalus a chytbwys am achosion eraill tebyg yng Nghymru i'r Society for Psychical Research yn Llundain.

Dychymyg yn unig fedr gonsurio'r ddau dŷ diflanedig i fodolaeth bellach, yn ogystal â drama eu digwyddiadau pan oedd y cymeriadau wedi eu dilladu'n drymach ac yn dduach, a phan oedd nosau'n ddwysach yng ngolau pyliog lampau nwy a pharaffîn, a fflam cannwyll yn dawnsio gyda phob anadl a phresenoldeb.

Pennod 1

AGORAWD

Eglwys landeg a mawreddog a ymhyfrydai'n fawr yn ei thegwch – yn yr ystyr o 'wychder', efallai, yn hytrach na 'chyfiawnder' – ac yn ei gogwydd uchel-eglwysig oedd eglwys St Paul, Llanelli. Un, yn ôl pob sôn, a dueddai at y gwendid hwnnw o 'synied yn amgen nag y dylid synied'. A digon tebyg fod y pechod marwol yna, ynghyd â diffyg cariad brawdol, wedi cyfrannu'n sylweddol at ddigwyddiadau anffodus iawn yn ei hanes. A phwy a ŵyr pa elfennau eraill oedd yn bresennol?

Bid a fo am hynny am foment, alltudiwyd y 'sgerbwd o'r ffest' ar fyrder ac yn hynod drylwyr. Aeth y tu hwnt i len go drwchus ac ni cheir neb i gyffesu bod ganddynt unrhyw wybodaeth amdano bellach. Darfu yr eglwys, y ficerdy, y sgandal ac, efallai, pa beth bynnag arall oedd yn llechu yno.

Dymchwelwyd yr adeiladau oll yn gyfan gwbl a gweddnewidiwyd y llecyn lle safent. Ger y Llan, Canolfan Deuluol St Paul, ynghyd â fflatiau modern a godwyd gan Gymdeithas Tai Gwalia, Esgobaeth Tyddewi, sydd yno'n awr. Gosodwyd y garreg sylfaen ar Ionawr 23, 1992 gan y Parchedicaf George Noakes. Aethai 98 mlynedd yn union heibio ers y digwyddiadau a drafodir yma.

Nid yr eglwys osgeiddig gynt, a gwblhawyd ym 1850 i gynllun Syr Gilbert Scott, a welais innau chwaith yn gorwedd yn ddiymadferth mewn mynwent ddi-raen, ond un a ddinoethwyd o'i balchder a'i gadael yn aflêr ac anghyfannedd. A chwerwach y chwithdod am iddi gael ei threisio, digon tebyg, gan rai o'i phlant ei hun – rhai, mewn goleuach oes, a fuasent wedi eu cyfrif eu hunain yn blwyfolion, ond na bu iddynt erioed ddeall, gwerthfawrogi nac arddel y term. Fe'i gadawsant wedi ei dihatryd o'i hurddas gan ddychwelyd ar dro i flagardio'r corpws a'i ddigroeni fel haid o fwlturod.

Atseiniodd y lle unwaith i guriadau trymion bugeilffon neb llai na'r Esgob Connop Thirlwall (1797-1875), y Sais o brelad Cymroaidd a nodedig hwnnw a oedd yn esgob Tyddewi pan ffurfiwyd y plwyf. Gwnaeth ei bregeth hynod gymodlon, ar achlysur agor drysau St Paul am y tro cyntaf, fis Rhagfyr 1850, gymaint o argraff fel bod John Innes wedi cynnwys crynodeb ohoni yn *Old Llanelly*, y cronicl cyntaf o hanes y dref a gyhoeddwyd ym 1902 (Caerdydd, tud. 83). Diau er hynny fod pennod ddiweddarach yn hanes St Paul yn ffres ym meddwl Innes pan ddiweddodd ei ragair i'r gyfrol gyda'r geiriau: *'In the history of every community there must be vicissitudes of fortune . . . episodes better unrecorded, and some things better forgotten.'*

Pan welais i yr eglwys yn ei thrybini, nid oedd ond maint cawraidd y drysau a agorwyd gan Thirlwall wedi eu cadw ar eu colfachau rhag eu dwyn. Taflwyd hwy ar agor led y pen fel petai i chwarae rhyw gomedi ryfygus neu ddefod anfad i ddathlu dadeni anffyddiaeth yn y dref wedi'r oedfa olaf yng Ngorffennaf 1980.

Yno gerllaw'r allor ddrylliedig, halogedig, megis golosg poethoffrwm paganaidd, ymestynnai hen foncyffion duon talsyth nad oedd ond y mwyaf trwchus ohonynt wedi gallu gwrthsefyll y tân a ysodd organ St Paul yn sgerbwd. Ni ddeuai nodyn o gyfeiliant o'r marworyn mawr, namyn cwyn y gwynt a rwystrai ar ei hynt dros feddau'r côr mud yn y fynwent o gwmpas. Dyna'r cyfan a oedd yn weddill, wedi'r goelcerth a wnaed ohono, o'r offeryn yr adroddai balchder bro unwaith iddo ddod o'r eglwys enwog am ei cherdd a'i chân yng nghanol Llundain, sef Sant Martin-yn-y-Meysydd. Mynnai eraill, fel y gellid disgwyl, i'r organ nodedig ddod o ryw eglwys gadeiriol. Mewn gwirionedd, o eglwys Sant Luc, Redcliffe Gardens, Llundain, y caed hi ym 1911, ond mae'n ffaith fod y soprano enwog Jenny Lind (Madame Goldschmidt), 1820-1887, 'Eos Sweden', wedi ymarfer arni ac wedi canu i'w chyfeiliant.

Tybed nad yw'r dernyn ffeithiol annisgwyl yna yng nghôl y chwedloniaeth am yr organ yn adlais o'r hanes rhyfedd a geir yn y gyfrol hon? Realiti di-gwestiwn sgandal leol dymhestlog (ddigon anweddaidd i dawelu'n meddyliau ni nad oedd ein rhagflaenwyr Fictoraidd yn tra rhagori arnom yn gyffredinol o ran graslonrwydd a duwioldeb, fel y camdybia llawer!) yn gorgyffwrdd rhywbeth o diriogaeth chwedloniaeth a llên gwerin. Neu yn wir, a erys rhan o helynt St Paul, Llanelli, yn gwbl anesboniadwy oni dderbynnir dilysrwydd elfen y mae'n well gan y rhelyw ei hosgoi am ei bod yn deillio o dywyllwch y fagddu fawr.

Cwestiwn a ddaw â ni at yr hen ficerdy mawr a safai yn union uwchlaw yr eglwys, oblegid yno yr amlygwyd agwedd ryfeddaf yr hyn a fu'n tarfu'r dyfroedd mor ofnadwy yn y plwyf. Ceir trysor o ddarlun bach yn oriel y Tate yn Llundain a baentiwyd gan W. Holman Hunt pan oedd yn ddwy ar hugain oed: 'The Haunted Manor'. Yng nghysgodion y blaendir mae afon a cherrig sarn a thyfiant yn cau'n drwchus amdanynt. Yna, yn ddisymwth, fe'i gwelwch yn llercian uwchlaw. Clamp o hen dŷ bygythiol a'i ffenestri'n llachar yn y machlud. Yn Arddangosfa Haf Cymdeithas Gelf Llanelli ym 1988, dangoswyd darlun o Ficerdy St Paul, o waith yr arlunydd lleol W. J. Nicholas, a lwyddodd yn feistrolgar i greu yr un naws. Rhytha ei ffenestri'n goch o'i furiau tywyll wrth i'r haul gilio ar derfyn dydd ac i gysgodion y nos ymestyn amdano.

Caeasai ei lygaid erbyn fy ymweliad ym 1987. Byrddwyd pob agoriad a chaethiwyd nos barhaol oddi mewn iddo. Wrth gerdded ei goridorau a mentro i'w ystafelloedd tywyll, bron na theimlwn imi groesi'r ffin yn ôl i'r nosau pan haerid fod rhywbeth rhyfedd ar grwydr yno. Bellach mae'r llwyfan y chwaraewyd arno ddrama mor hynod ymhlith y pethau a fu, a'r hyn oedd yn weladwy o'i chymeriadau yn un â llwch y llawr.

Cynhwysa'r hanes hanfodion trasiedi Shakespearaidd – balchder, malais, digllonedd (cyfiawn ac anghyfiawn) a rhan eironig a sbeitlyd comedi mewn llawer trasiedi. Yn ei chyd-destun gellid hyd yn oed ddadlau addasrwydd y diffiniad sylfaenol a ddysgodd pob plentyn ysgol, sef ei bod hi'n stori person breintiedig a ddisgynnodd i adfyd oblegid rhyw ddiffyg yn ei gymeriad. Ac, wrth gwrs, i wneud cyfiawnder llawn â'r traddodiad clasurol, y mae ymyrraeth y goruwchnaturiol drwy'r cyfan, sef yr elfen y manylir arni yn yr astudiaeth hon.

Pennod 2

YR ANNWYL YMADAWEDIG

I ddechrau, ac i aralleirio stori ysbryd anfarwol a chlasurol Charles Dickens, roedd y ficer wedi marw. Doedd yna ddim amheuaeth o gwbl am hynny. Arwyddodd clerigwr gofnod o'i gladdedigaeth a chyn bo hir ceid carreg goffa farmor wen, drom, ar ffurf ffasiynol, yng nghangell St Paul i ategu'r ffaith iddo ddod i ben ei rawd ar Ionawr 16, 1893. Yn ddiamau yr oedd yr cyn-ficer, David Daniel Jones, B.A., R.D., mor farw â hoelen drws.

Gwyddai ei olynydd, y Parchedig D. Morgan Jones, M.A. (Oxon), hynny yn dda. Onid drwy'r bwlch hwnnw y daeth yntau yr un flwyddyn i'w drwyddedu i guradiaeth barhaol y plwyf ac i fod yn drydydd ficer St Paul? Yn y traddodiad anghydffurfiol estynnir gwahoddiad, fel rheol, i'r cyn-weinidog i lywyddu ac arwain oedfa ordeinio neu sefydlu ei olynydd, ond yn y traddodiad eglwysig nid yw'r ficer blaenorol hyd yn oed yn bresennol. I bob pwrpas y mae wedi ei alltudio o'r plwyf ar derfyn ei dymor. Ac anaddas fyddai iddo fyw yn yr ardal, hyd yn oed ar ôl ymddeol. Peth annisgwyl a rhyfedd fyddai dal at agwedd felly wedi marw cyn-ficer.

Anarferol neu beidio, roedd mantell letholyn hongian dros gartref ficer newydd St Paul sef tybiaeth, er bod ei ragflaenydd wedi marw, nad oedd wedi gadael y fuchedd hon yn hollol.

Sefydlasid y Parchedig David Daniel Jones yn ficeriaeth St Paul, Llanelli, gan yr Esgob Basil Jones yng Ngorffennaf 1876. Daethai'r plwyf i fodolaeth ym mis Ebrill 1846 wedi i Gomisiynwyr Eglwysig Lloegr osod cynllun gerbron Ei Mawrhydi y Frenhines Fictoria mewn Cyngor ym Mhalas Buckingham o ganlyniad i 'Ddeddf er gwneud gwell darpariaeth ar gyfer gofalaeth ysbrydol plwyfi poblog'. Gwnaed y cynnig llwyddiannus a ganlyn:

We the Ecclesiastical Commisioners for England have prepared and now humbly lay before your Majesty in Council the following scheme for constituting a separate district for spiritual purposes, out of the parish of Llanelly, in the County of Carmarthen and in the Diocese of St David's.

And whereas the said parish of Llanelly is of great extent and contains a large population, and the provision for public worship and for pastoral superintendence therein is insufficient for the spiritual wants of the inhabitants thereof . . .

Aed ymlaen i fanylu ar sut y gellid cywiro'r diffyg ac, wrth gwrs, gweithredwyd y cynllun maes o law. Oes hyderus ac epiliog oedd honno, a Fictoria a'i hymerodraeth mewn goruchafiaeth; oes wahanol iawn mewn cynifer o ystyron i'r oes gwbl fydol a materol bresennol. Nid yw'n dilyn o angenrheidrwydd, er hynny, fod cariad Cristnogol a graslonrwydd yn blaenori bob amser o bell ffordd yn eglwysi blagurol Llanelli, fel y cawn weld.

Cardi oedd y Parchedig David Edward Williams, sef ficer cyntaf y plwyf newydd, a brodor o Sir Aberteifi hefyd oedd ei olynydd, D. D. Jones, sef y gŵr a oedd newydd farw. Hanai ef o Lanarth, ac mae'n sicr i'r ardal honno ymfalchïo'n fawr yn llwyddiant mab Mr a Mrs David Jones, Nantmeddal, drwy ei yrfa. Ym 1874 penodwyd ef yn is-gantor yn Eglwys Gadeiriol Tyddewi ac, yn fuan wedyn, i St Paul a'i drwyddedu yr un diwrnod i weithredu fel curad St Pedr, y chwaer eglwys. Bu yn beriglor am ddwy flynedd ar bymtheg, a llwyddodd i wneud llawer iawn o fewn oes gymharol fer, a'r tebygolrwydd yw iddo losgi allan yn y broses. Gwnaeth argraff ddofn iawn ar y plwyf a pharhaodd y garreg goffa, y cyfeiriwyd ati eisoes, a oedd ar y chwith i'r allor, i ddatgan ei glod a'i ganmol i'r cymylau, tra bod popeth o gwmpas yn cael ei fandaleiddio'n deilchion gan natur atgas philistiaeth ac anrhaith natur ei hun:

He was instrumental in building and enlarging 4 churches, 3

Mission Rooms and St Paul's Memorial and St Peter's Halls,
which are lasting monuments to his indomitable energy and
devotion. He was a good Churchman, a diligent Pastor, an
excellent bilingual preacher and a genuine friend of the poor. He
died January 16, 1893 aged 45 years.

Ar ben hynny wedyn, ac i atgyfnerthu enw da y paragon hwn
eto fyth, sonia'r goflech am linyn arall i'w fwa. Gŵr gweddw
oedd D. D. Jones, wedi colli ei briod yn ifanc iawn. Ond ar hyd
y blynyddoedd bu ei fam-yng-nghyfraith, Mary Davison,
Saesnes o Haslingden, Swydd Gaerhirfryn, dynes a chanddi
incwm preifat, yn cartrefu gydag ef. Ceir y cytgan
canmoliaethus canlynol ar y garreg, felly:

> *'Also of*
> *MARY DAVISON, his affectionate Mother-in-law who actively*
> *assisted him in his work in the parish and left by her will a large*
> *bequest to reduce the debt on the buildings. Like her Divine Master*
> *she went about doing good. She died September 22, 1893 aged 64*
> *years.'*

Ymddengys mai'r diwydiant cotwm oedd ffynhonnell y cyfoeth
a adawodd, sef £4,606/10/3 (swm a fyddai'n cyfateb y dyddiau
hyn i tua £180,000); digon i'w gwneud yn gymeradwy iawn gan
snobsach St Paul. Ddwy flynedd union wedi penodiad D.
Morgan Jones, a phan oedd yr elyniaeth tuag ato yn ei anterth
(fel yr adroddwn yn nes ymlaen), un o'r ergydion marwol iddo,
mae'n siŵr, fu gorlenwi'r eglwys nos Sul Ebrill 29, 1895, ar gyfer
seremoni dadorchuddio'r gofeb yna gan Mr James Buckley,
Bryncaerau (Parc Howard fel yr adwaenwn ni y lle), a'i ferch.
Gosodwyd ffenestri gwydr lliw hefyd yn eglwys St Pedr,
Llanelli, i fytholi coffadwriaeth y ddau eilun poblogaidd a fu
farw o fewn misoedd i'w gilydd.

Yn amlwg, gadawodd pâr mor frwdfrydig, amcanus a
chefnog, fwlch aruthrol ar eu holau; un a ddwysawyd o'u colli

mor agos. Bu i'r peth ganlyniadau amlweddog. Cafodd y plwyfolion anhawster dygn i ddod i delerau â'r golled. Dylanwadodd hynny yn ei dro ar y sawl a benodwyd i'r olyniaeth, a buan y sylweddolodd yntau, druan, mai tasg anodd ar y naw fyddai llenwi'r fath esgidiau.

Llangadog yn Sir Gaerfyrddin oedd cartref y gŵr anffodus y syrthiodd y coelbren arno i ymgymryd â thasg nad oedd i'w chwennych. Enwyd y trydydd ficer eisoes, sef y Parchedig D. Morgan Jones, gŵr a raddiodd o Goleg Worcester, Rhydychen, ym 1880. Wedi ei urddo yn Esgobaeth Bangor, bu'n gurad ym Motwnnog, Llanfairfechan, a Leckhampton (Caerloyw), ac yna, ym mis Ebrill 1893, fe'i trwyddedwyd i guradiaeth barhaol St Paul, Llanelli. Ar ddiwrnod *cyntaf* y mis, yn anffodus! Pan ddathlwyd canmlwyddiant plwyf (nid eglwys) St Paul ym 1946, cyhoeddodd rhywun anhysbys fraslun o ddigwyddiadau'r ganrif yng nghylchgrawn y plwyf. Crynhôdd gyfnod D. Morgan Jones i dair brawddeg yn unig, a'r olaf ohonynt, mae'n sicr, yw'r tanosodiad mwyaf syfrdanol a digymar yn holl hanes tref y sosban:

> After the great activities of the previous vicar, David Morgan Jones' incumbency seems to have been consequently uneventful, and there are no records of any striking events.

Hanner can mlynedd yn unig a aethai heibio, ac am na chanfyddwn arwyddion eraill o ddiffyg gwybodaeth nac anghofrwydd yn ei erthygl, y mae lle i ofni bod yr awdur yn celu'r gwirionedd. Efallai ei fod yn ddisgynnydd o un o selogion St Paul yn nawdegau y ganrif flaenorol neu, yn wir, yn un ohonynt ei hun ac yn dal i gau'r rhengoedd am fod yr hyn a ddigwyddodd yno yn *infra dignitatem* yn eu golwg. O leiaf, celwydd golau oedd y gosodiad.

Dwyfolwyd D. D. Jones fwyfwy mewn angau. Ond pardduwyd D. Morgan Jones o'r foment gyntaf y daeth yno. Cynhaliwyd Te Croeso iddo nos Fawrth Ebrill 6ed, 1893 a thrennydd bu'r *Llanelly Mercury* yn ei feirniadu'n hallt. Dyma frawddegau agoriadol yr adroddiad:

The new vicar of St Paul's, the Rev. D. Morgan Jones, is a Welshman, under the influence of a growing national spirit [pa ddehongliad bynnag rown ni i'r sylw yna i ddechrau]. *He is a fluent speaker both in English and in Welsh, and promises to be an acquisition to the ranks of Episcopalianism in Llanelly.* [Buom, mae'n debyg, wedi'r cyfan yn rhy groendenau ac amheus o degwch y papur . . . ond parhewch i ddarllen!] *But he is wanting in tact and prudence . . .*

Ai am ei fod wedi rhoi ystyriaeth ofalus i'r sefyllfa yno, ac o ganlyniad wedi penderfynu mai 'gorau amddiffyn, ymosod', y gwnaethai apêl daer yn y Te Croeso am gael 'torri ei gwys ei hun'? Mynnai'r newyddiadur y byddai gwrthwynebiad y plwyfolion lawn cyn gryfed ag erfyniad 'haerllug' y newydd-ddyfodiad. Ymhellach, beirniadwyd ef yn llym am symud curad poblogaidd St Pedr, y Parchedig D. L. Marsden, i ran wahanol o'r plwyf a gosod curad arall, y Parchedig W. H. Jones, yn ei le. Cam gwag, yn ôl papur a oedd wedi tarfu'r dyfroedd, fu gweithredu fel y gwelai ef yn dda. Dyna fel yr ydym ni yn darllen y sefyllfa, meddai'r *Llanelly Mercury*, gan ddiweddu'n grafog gyda'r brath terfynol:

Of course, we may be wrong.

Pwy a ŵyr i ba raddau y bu'r papur lleol yn *agent provocateur* drwy'r darogan hwn ond, yn sicr, fel y cawn weld, daeth trafferth ynglŷn â churadiaid yn faen tramgwydd difrifol yno maes o law, ac yr oedd yn un o achosion pendant cythrwfl a diflastod mawr yn y plwyf. Morbidrwydd fyddai ymdrybaeddu yn yr helynt, ac ni wnawn hynny y tu hwnt i reidrwydd, ond bydd rhyw ystyriaeth ohoni fel cefndir i ddigwyddiadau sinistr yn y ficerdy yn anhepgorol. Ni fedrwn

Ficerdy St Paul, Llanelli, o'r eglwys.

Ficerdy St Paul, Llanelli, o Ysgol y Bigyn a'r eglwys
y tu hwnt iddo. Dengys yn glir mor nodweddiadol
ydoedd o hen ficerdy mawr o oes Fictoria.

Llinluniad o eglwys St Paul, gan Sid Newcombe.

Y drws i ardd Ficerdy St Paul, Llanelli, yr oedd Mrs M. Richard a'i nith Mary Ann Guy yn ei basio ar 12 Rhagfyr 1893 pan welsant y ficer yn sefyll yn y ffenestr ac yntau ar y pryd mewn trên ar y ffordd i Lundain. Nid oedd dyn arall yn y tŷ ac yr oedd y ddwy yn hollol bendant mai ef ydoedd a neb arall.

Cofeb ail ficer St Paul, Llanelli. Gwelir y Ficerdy drwy'r ffenestr wrth
ei hymyl.

J. Towyn Jones wrth ddrws eglwys St Paul, Llanelli,
(i'r chwith o'r allor) yn arwain at y llwybr i'r Ficerd,y ac yn sefyll o
dan gofeb yr ail ficer a'i fam-yng-nghyfraith.

J. Towyn Jones ar risiau Ficerdy St Paul, Llanelli, 1987.

Orinda Towyn Jones (merch yr awdur) a Haydn Lewis (adeiladydd o Lanelli) yn Ficerdy St Paul, Llanelli, 1987.

Wyrion yr awdur, Daniel ac
Iwan Rhys Williams, Tachwedd
2001, o flaen safle eglwys St.
Paul. O'r adeiladau newydd yn
y cefndir, yr agosaf at safle'r
Ficerdy yw'r un ar y dde, ac o'i
flaen, y grisiau y cyfeirir atynt
yn y bennod olaf.

Annie Mary ac Emrys Jones,
rhieni J. Towyn Jones, o flaen
eglwys St Paul, Llanelli, 1987.

Llun dyfrliw o'r rheithordy o waith W. J. Nicholas
(drwy garedigrwydd Mrs Gaynor Phillips).

eneral peace of the world.
elegation has not revealed
it will invoke any specific
the League Covenant, but it
lly believed that, at present,
ll content herself by asking
mmediate calling together of
Japanese Committee.
egation adds the hope that
d States of America will as-
self with the League's action
ture, as it has done in the

r references next page.)

NESE TRADE WITH AUSTRALIA

er Prospects for Treaty

TOKIO, September 12.
wspaper "Asahi" says is
t the slackening of Austra-
nese trade will be aggra-
Japan's new trade control
d will further darken the
of concluding a treaty. The
ns for such a treaty have
been dragging, apparently
for eight months.
nnounced that the season's
North Japanese waters was
s.

N'S IMPORTS OF L AND COTTON

rnment Monopoly Contemplated

TOKIO, September 12.
nistry for Commerce is con-
the organisation of a
of Japanese imports of raw
d wool.
ar, er on reliable authority
n's stocks of wool aggregate
les. This, however, is un-
tributed, both in ownership
ty. For example, one big
rer has supplies for only one

imated that present stocks,
0 bales, from Australia, will
til the 1938-39 season.

E SAVED BY

---

that the Port Wyndham's port pro-
peller was damaged when the vessel
went on a bank in Townsville Harbour
on Wednesday evening. She will go
into dock in Sydney.

DEATH OF REV. D. MORGAN JONES

Noted Welsh Scholar

One of Brisbane's best-known and
most scholarly clergymen, the Rev. D
Morgan Jones, died in a private hos-
pital yesterday, after a long illness.

Born in Wales in 1863, he was an
acknowledged authority on the history,
language, and literature of his native
land, and a popular figure at repre-
sentative gatherings of all national
societies in Brisbane. As a student of
Worcester College, Oxford, he took his
Arts degree in 1880, with honours in
classical moderation and literary

Rev. D. Morgan Jones

humanities, be-
coming a Master
of Arts in 1893.
He was ordained
in 1886 by the
Bishop of Bangor,
Wales, and after
serving in a
number of par-
ishes he was
vicar of St
Paul's, Llanelly,
before coming to
Australia 30 years
ago.

After first oc-
cupying the posi-
tion of theologi-
cal tutor in the
Bishop's College, Thursday Island, he
served in the Brisbane diocese as rec-
tor of Esk, and subsequently of St.
Colomb's, Clayfield. In 1931 he sur-
rendered that charge to become the
Archbishop's senior chaplain for the
hospitals of Brisbane, and in that
capacity was known and esteemed by
patients of every creed. Three years
later ill-health forced him to resign,
and since then he had been virtually
an invalid.

He is survived by two daughters,
Mrs. H. H. Dixon, wife of the Bishop
Coadjutor of Brisbane, and Miss Vera
Morgan Jones, and one son, Mr. C.
Morgan Jones (England). His two
daughters were war nurses, and his

---

several times, the
last Sunday. She
in good health an
ingly remarked:
food." She discuss
her hôtel at Auga
to have no financ
Mrs. Roche,
with Mrs. McNa
New South Wales,
of her life at Ch
There she met h
then conducted a
Mi. Roche, who
about two years
tersall's Hotel a
Mrs. Roche, after
dential in the tow
graph Hotel, whic
time of her death
licence of the Cla
thella for about e
Mrs. Roche had
Charleville and
She was particu
sport, and when
missed a race mee

COMMUN

Still Influe of G

BERL
Herr Hitler, at
Labour Front dur
gress at Nurembe
plained that throa
permit him to del
had intended.
The Minister for
ing), who acted
Fuhrer, frankly a
lions of our workir
aloof from us, and
by Communist ide
Addressing a m
Hitler Youth, In
Hitler insisted tha
to endure such w
Nazism had since
but youth must
storms and make
In an address on
Hitler declared th
possible to beat
their backs as if th
Proudly he drew t
police, who appear
at Nuremburg, to t
ber truncheons—"
the November Rep
The German pol
revolvers, or bayon

FRIDAY, JANUARY 22, 1988

Star Tele-Ads 778585

tered at the P.O. as a newspaper

Vol. 79 No. 4067/56

OP
SELLIN
38 MU
Tele

IN THE WEEK when a four-year-old Swansea girl died in a house fire that apparently started in a polyurethane foam filled settee, Dyfed Chief Fire Officer Ron King writes in the Star about the Government's moves to ban the foam from our homes — and warns that isn't the end of the danger. Read him on Page 2.

LOOMING OVER BROKEN GRAVESTONES: the disintegrating and eerie remains of the vicarage.   PIC: JEFF CONNELL

St. Paul's Vicarage to be demolished

BY LESLEY EDWARDS

HOPES of saving a once impressive, now disintegrating, Llanelli vicarage have been abandoned because of the high cost involved.

St. Paul's Vicarage stands crumbling, looming over the broken and overgrown gravestones that are all that remain of St. Paul's Church and cemetery.

Gwalia Housing Society originally intended converting the building into four flats, with another ten flats in the grounds.

Planning consent was given last April for the alterations plus new units that would also house a creche and community centre.

But last week the Society were given permission for a change of plan involving demolition of the vicarage and replacing it with a new four-flat unit.

Explained Gwalia Develop-ment Manager Peter Thomas: "When we did the feasibility study, we found the vicarage was so far gone it would not be possible to refurbish it.

"It's a very nice building, but it has been empty for some

TO PAGE 4

TO PAGE 4

'Missing boy in

Y Parchedig Alfred T. Fryer (1847-1937)
a fu yn gwneud ymholiadau swyddogol i'r achos yn St Paul ar ran y
Society for Psychical Research.

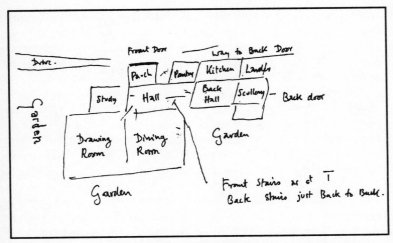

Braslun o lawr gwaelod Ficerdy St Paul, Llanelli – copi o waith Fryer ym mhencadlys y *Society for Psychical Research*, Llundain.

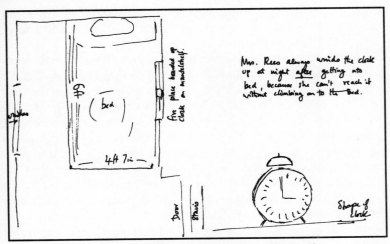

Cynllun y stafell lle cafodd y cloc ei droi'n ôl.

ond dyfalu tybed pa gymhellion oedd gan y *Llanelly Mercury* dros gadw'n dawel am yr ysbrydion. Gwelwn fod yr amlinelliad yn y bennod hon o'r hinsawdd yng nghyfnod cynnar D. Morgan Jones, fel ficer St Paul, yn gwbl angenrheidiol. Dylid cymryd sylw hefyd o rywbeth arall.

I dymheru'r darllenydd ar gyfer yr hyn sydd i ddod ac i geisio sicrhau gwrthrychedd, rhaid ystyried sylwadau perthnasol iawn gan yr ysgolhaig blaenllaw o Gymro, Syr Keith Thomas, yn ei gyfrol ardderchog: *Religion and the Decline of Magic,* Weidenfeld & Nicolson, 1971, tud. 723. A gweler hefyd erthygl a ddyfynna ac a gyfrifir ganddo yn ddisglair sef: R. Blauner, *Death and Social Structure, Psychiatry,* XXIX, 1966.

Cyfeiria at swyddogaeth gymdeithasol y gred mewn ysbrydion, gan roi esboniad ar o leiaf un dirgelwch a boenai awdur y gyfrol hon. Yr hyn na fedrwn ei ddeall oedd, er bod hanesion am ymddangosiad ysbrydion ar hyd y canrifoedd – yn enwedig rhai pobl enwog mewn plas, palas a chastell, heb sôn am y lliaws eraill anenwog – sut felly na chaed traddodiad, chwedl, na stori am ysbryd Twm Siôn Cati, dyweder, ac yntau wedi bod yn ffigwr mor lliwgar ac enwog? Cwestiwn nid afresymol yw hwn, a chynigir ateb diddorol iawn iddo gan yr hanesydd blaenllaw uchod.

Gellir esbonio absenoldeb cymharol ysbrydion o gymdeithas fodern, meddir, o ganlyniad i newid demograffaidd. Un o'r rhesymau dros y lleihad yn y gred mewn ysbrydion yw fod pobl yn gyffredin bellach yn byw rhychwant cyflawn eu bywyd ac yn marw wedi iddynt ymddeol a chefnu ar rôl weithredol mewn cymdeithas. Cwtoga hyn ar y gwactod cymdeithasol a adawant ar eu holau. Mewn geiriau eraill, ran amlaf, yn y gymdeithas gyfoes, y mae'r meirw wedi edwino, gwywo a diffodd cyn marw. Nid felly yr oedd pethau, wrth gwrs, mewn cyfnodau cynharach. Mewn gwrthgyferbyniad, byddai'n llawer mwy cyffredin i rywun gael ei dorri i lawr ym mlodau ei ddyddiau (megis y Parchedig D. D. Jones yn 45 oed) gan adael mesur o gynnwrf cymdeithasol a ddiwallwyd i raddau trwy gymorth y gred mewn ysbrydion. Geiriau terfynol Syr Keith Thomas ar y pwynt yw:

The period when the soul wandered loose was that when the survivors were adapting themselves to their new pattern of social relationships. Today that period is often short or even non-existent.

Er mai astudiaeth o gredoau poblogaidd yn Lloegr yn yr unfed ganrif ar bymtheg a'r ganrif ddilynol yw'r gyfrol, yn amlwg y mae'r sylwadau'n berthnasol i'r hyn a drafodir yma.

Teflir golau hefyd ar gwestiwn rhai fel Twm Siôn Cati yn yr un modd. Er gwaethaf ei ddireidi honedig yn ifanc, a'r argraff ddofn a wnaeth ar ddychymyg y werin, yr oedd wedi hen barchuso fel gŵr bonheddig diwylliedig, a bu farw mewn gwth o oedran, fe ddichon, yng nghanol ei lawysgrifau ac yn nhangnefedd ei fyfyrgell. Petai wedi marw yn gynamserol, ar ryw anturiaeth, gellid disgwyl y buasai traddodiad fod ei ysbryd yn ymddangos yn y fan a'r fan o bryd i'w gilydd. Gwelir felly arwyddocâd cyffes yr eofn John Jones, Talysarn, bod arno 'ryw fesur o arswyd, os digwyddai iddo fyned, yn y nos, heibio i ryw fan y digwyddasai rhyw ddamwain angheuol ynddo . . . '

Yn y man hefyd daw oblygiadau'r ymresymiad i'r hanes hwn yn gliriach, os gellir derbyn esboniad mor syml, seciwlar a gwrthrychol, wrth gwrs. Sut bynnag yr edrychir ar y peth, saith diwrnod yn unig y bu'r ficer prysur a gweithgar yn clafychu yn ei gartref cyn cael ei gipio gan niwmonia gwyllt yn annisgwyl, yn ddim ond 45 mlwydd oed. Pa anniddigrwydd bynnag oedd ar droed yn St Paul mewn perthynas â'r eglwys a'r plwyf yn y misoedd dilynol ac yn ystod dwy flynedd gyntaf D. Morgan Jones fel offeiriad, yr oedd rheswm arall i anesmwytho yn y ficerdy. Yn y pen draw, dirgelwch dwysach – fel y dangosir maes o law – nad yw'r ymresymiad a nodwyd yn delio ag ef ac nad oes esboniad iddo hyd heddiw.

Pennod 3

Y CYFFESOR

Sisialai'r golau nwy yn dawel-ffwdanus a chynhyrflyd ym mharlwr Ficerdy St Paul y nos Fercher honno ym mis Ionawr 1895, gan adleisio parablu taer y sawl a arweiniai'r drafodaeth.

O flaen y tân yn gwrando'n astud a henffel ar ei westeiwr, y Parchedig D. Morgan Jones, yn adrodd yr hanesion mwyaf annhebygol am ei gartref, eisteddai'r Parchedig Alfred Trimble Fryer. Arswydo a wnâi'r mwyafrif ar noson o aeaf wrth glywed yr honiadau erchyll yng nghanol cysgodion gwibiog ystafell led dywyll yn llawn llenni trwchus a dodrefn trwm, nodweddiadol o'r cyfnod. Brawychent yn fwy fyth yn enwedig o sylweddoli fod y pethau hyn wedi digwydd yn union tu hwnt i ddrws yr ystafell lle'r eisteddent. Ond eu bod o'r tu hwnt i'r llen, os oedd tystiolaeth y ficer, a'r lleill a fu'n adrodd eu profiadau y noson honno, yn gywir.

Gwrandawodd A. T. Fryer yn foneddigaidd a chysurus ar y cyfan. Medrai fod mor ddigyffro am sawl rheswm. Yn un peth, yn rhinwedd ei swydd yr oedd yn hen gynefin ag offeiriaid o bob math mewn ficerdai o Lundain hyd y mannau mwyaf diarffordd. Ar ben hynny wedyn yr oedd ganddo nid yn unig ddiddordeb ysol yn y posibilrwydd o fodolaeth ysbrydion, ond profiad maith a phroffesiynol hefyd o holi amdanynt ac ymchwilio'n ddiduedd a thrylwyr i achosion cyfareddus o'r fath. Yn ddi-gwestiwn, ac ar bob cyfrif, yr oedd yr ymholwr delfrydol yn Ficerdy St Paul y noson honno. Ffodus o beth oedd hynny, oblegid Fryer yw ein hunig gyfrwng yn ôl at y pethau yr adroddwyd amdanynt ac at yr episod ryfeddaf yn hanes y lle. Diogelir ei nodiadau a'i argraffiadau, yn ogystal â chyfres o ddogfennau llofnodedig, yn Llyfrgell Prifysgol Caergrawnt (S.P.R. H337).

Gan ein bod wedi nodi – yn amodol – yr amheuon a gododd am Harry Price, archwiliwr Borley, a'r ffaith fod ganddo ei ddifrïwyr, ambell un ohonynt yn gwbl elyniaethus, cystal tawelu meddwl y darllenydd am A. T. Fryer trwy wneud yn gwbl glir ei fod yn ddyn ardderchog. Gŵr cymharol ifanc yn ei bedwardegau ydoedd adeg ei ymweliad â Llanelli, ond cafodd oes hir ac yr oedd parch cyffredinol a dieithriad i'w gymeriad dilychwin ac i'w ymgysegriad llwyr i bopeth yr ymrwymodd iddo. Bydd y ffeithiau canlynol am ei yrfa o fantais i'n dealltwriaeth o'i gyfraniad unigryw i'r hanes hwn.

Hanai Fryer o Ddyfnaint, ond o Goleg y Brenin yn y brifddinas yr urddwyd ef yn offeiriad yn esgobaeth Llundain ym 1877. Bu'n gurad am ddau gyfnod yn St Philip, Clerkenwell, ac yn y cyfnod rhyngddynt, o 1878 hyd 1883, gwasanaethodd yn yr un modd yn Bovey Tracey yn ei hen sir. Yna, ym mis Rhagfyr 1886, dewiswyd ef o blith 39 o ymgeiswyr i fod yn Ysgrifennydd Rhanbarthol Cynorthwyol i'r Additional Curates Society, cymdeithas a sefydlwyd ym 1837 i estyn cymorthdaliadau i'r pwrpas a gyhoeddir yn ddiamwys yn ei henw. Rhoddodd wasanaeth rhagorol i'r elusen o 1887 hyd 1908, ac ar ei ymadawiad i fod yn ficer St James the Greater, Walthamstow, lle y bu hyd ei ymddeoliad i Gaerfaddon ym 1918, cydnabuwyd hynny'n wresog iawn gan bwyllgor y gymdeithas.

Yn bwysicach o safbwynt yr hanes hwn, mynegodd Pwyllgor Esgobaeth Llandaf gyda rhadlonrwydd mawr ac unfrydedd, ar gynnig yr Archddiacon Edmondes a'r Esgob yn eilydd, ei *'high appreciation of the earnest zeal and whole-hearted singleness of purpose with which he has done his work.'* Arwyddocâd hynny yw mai pedair esgobaeth Cymru oedd ei faes am y deng mlynedd cyntaf. Ac er iddo gael cynnig y rhanbarth Fetropolitanaidd ym 1896, dewisodd aros yng Nghymru. Ad-drefnwyd yr adrannau ar y pryd, ac o hynny ymlaen, de Cymru a rhai esgobaethau yn Lloegr, a adnabuwyd fel yr Ardal Orllewinol, fu o dan ei ofal. Cartrefai yn 13 Dumfries Place, Caerdydd, ac yn 2 Newport Road yn ddiweddarach. Rhwng popeth, ac o ystyried yr hyn a ganlyn, nid yw'n ormodiaith dweud y gellid llunio cyfrol ddigon difyr am gysylltiad Fryer â Chymru.

Dadlennir llawer am ei gymeriad gan y ffaith fod offeiriaid mewn plwyfi anghysbell yn edrych ymlaen at ymweliadau blynyddol A. T. Fryer. Oblegid ar wahân i gyflawni ei briod waith, deuai â'r llyfrau diweddaraf gydag ef a chymeradwyai gyhoeddiadau eraill. Adeg ei farw, mynnodd y *Church Times*, cylchgrawn y bu'n gyfrannwr cyson a chymeradwy iddo o'r dechrau, iddo adfywio diddordeb clerigwyr Cymru mewn astudiaethau deallusol yn ystod ei gyfnod yn eu plith (gw. *Church Times* Hydref 29, 1937).

Lled-grybwyllwyd eisoes, er hynny, yr agwedd holl-bwysig o fywyd a chyfraniad Fryer yng nghyswllt yr hanes hwn, sef ei ddiddordeb byw mewn ffenomenâu goruwchnaturiol. Y prif fudiad ymchwil yn y maes hwn yw'r *Society for Psychical Research*, Llundain, a sefydlwyd ym 1882 yn bennaf gan grŵp o wyddonwyr ac athronwyr yn gysylltiedig â Choleg y Drindod, Caergrawnt, a phery'n llewyrchus hyd heddiw, gydag enw da ar draws y byd, o dan arweiniad academyddion amlwg.

Un o'r sefydlwyr, sef yr ysgolhaig clasurol Edmund Gurney (1847-1888), prif awdur y gyfrol nodedig *Phantasms of the Living* (1886) a wahoddodd Fryer i ymuno yng ngwaith y gymdeithas, a cheir ei enw ar y rhestr brintiedig gynharaf o Aelodau Cyswllt ym 1884. Parhaodd yn aelod gweithredol drwy ei oes a chyfrannodd adroddiadau manwl am achosion di-ri. Cyhoeddwyd llawer ohonynt yng nghylchgronau'r gymdeithas – y *Journal* a *Proceedings*.

Mater hawdd yw profi fod Fryer yn ymholwr manwl, brwd a diflino fel y dengys ei astudiaeth o Ddiwygiad 1904-05 yng Nghymru. Traddododd ddarlith i'r deuddegfed mewn cyfres o Gyfarfodydd Preifat o Aelodau ac Aelodau Cyswllt y *Society for Psychic Research* yn 20 Hanover Square ar Fehefin 29, 1905, ar 'Agweddau Seicolegol Diwygiad 1904 yng Nghymru'. Cyhoeddwyd ei sylwadau hynod gynhwysfawr a darllenadwy, gyda manylion am brofiadau unigol rhyfedd, yn llawn, ynghyd â darluniau, yn *Proceedings of the Society for Psychical Research*,

Cyfrol XIX; rhan LI, 1905-1907, tud. 80-160, cyfansoddiad anhepgor i unrhyw un a fyn astudio'r chwyldro crefyddol hwnnw. Gan fod Fryer yn ffotograffydd toreithiog a chelfydd, ac y mae copïau o rai o'i luniau ym meddiant yr awdur, ni ellir ond gresynu na oroesodd unrhyw luniau a dynnodd yn Llanelli. Prawf arall o'i drylwyredd yw'r ffaith ei fod yn air-berffaith bob tro y dyfynna'r Gymraeg yn ei draethawd am y diwygiad.

Rai blynyddoedd cyn yr anesmwythyd yn Llanelli bu A. T. Fryer ar yr un math o drywydd yn Sir Benfro ar ran y Society for Psychical Research. Yn y dyddiau hynny, fel yn bresennol, cyflawnir pob ymchwiliad o'r fath yn wirfoddol (yn ôl D. N. Clark-Lowes, Llyfrgellydd Mygedol y gymdeithas mewn llythyr at yr awdur Ebrill 3, 1990). Cyflwynodd yr awdur yr hanes anghyffredin a chyfareddol hwnnw o Sir Benfro ar ffurf math o berfformiad *son et lumière*: 'Dychweliad y Dewin', ac yn Saesneg i Gymdeithas Hynafiaethau Sir Gaerfyrddin: *'The Return of the Wizard'* gydag Orinda Towyn Jones, Llewelyn Lloyd Jones; David E. Thomas (sain) a H. Brian Thomas (goleuadau). Ymchwiliad manwl A. T. Fryer ar y pryd oedd craidd yr wybodaeth a'i gwnaeth yn bosibl i adrodd yr hanes hwnnw, fel hwn.

Derbyniasai A.T. Fryer wahoddiad Gurney i fod yn aelod o'r Society for Psychical Research ar un amod:

... *viz., that the Society would not attempt to prove the supernatural, by which I meant that I was willing to assist in the examination and classification of physical and psychical phenomena connected with ghosts, dreams, etc., solely as terrestrial events, and without reference to the end such things may subserve in the spiritual sphere or the life beyond the grave. I maintained then, as I do now with even greater conviction,* [dair blynedd ar hugain yn ddiweddarach] *that whatever use individual members might make of the result of our inquiries, whatever inferences persons might draw from the verified stories collected by the Society, our work as a Society would be accomplished by that verification and tabulation (Proceedings, ibid.)*

Dyna gymwysterau, a dyna, yn olaf, safbwynt, y dyn a wrandawa'n synhwyrgall yn y ficerdy tawel, tywyll hwnnw pan oedd storm gynhenllyd yn magu am guradiaid a chamweinyddu.

Pennod 4

DRYCHIOLAETHAU

Wedi ysbaid, felly, i ymgyfarwyddo â'r ymwelydd pwysig, ond cwbl ddiymhongar, yn y gadair bentan gyferbyn yn Ficerdy St Paul, rhown brociad i'r tân ac ymrown i wrando gydag ef ar yr hyn y mae ei westeiwr ac eraill yn ysu am ei ddweud.

Pwysleisiwn ein bod yn dibynnu'n llwyr ar gywirdeb adroddiad A. T. Fryer ac yn glynu'n slafaidd at yr hyn a gofnodwyd ganddo, a hefyd yr hyn a osododd tystion ar bapur ar ei gais – deposisynau i bob pwrpas. Nid tystiolaethau ar lw yn hollol, mae'n wir, ond datganiadau wedi eu hardystio a'u harwyddo i sicrhau eu dilysrwydd. Pwysleisiwn ein bod yn parchu'r egwyddor ddogfennol yn llwyr ac yn ymwrthod â thrwydded y bardd. Gyda'r ffeithiau yr ydym ar fin eu datgelu, pa raid wrth unrhyw fesur o ffug?

Fe gâi'r Ficerdy y gair o fod â drychiolaeth ynddo, yn ôl D. Morgan Jones a Mr Jones y curad, ysbryd y cyn-ficer yn ôl rhai, meddent. Yr awgrym yn nodiadau Fryer yw mai'r curad oedd flaenaf gyda'r wybodaeth, ond *pa un*, oblegid yn anffodus ni chofnododd ei enwau bedydd. Daeth curad newydd ifanc yno o'r coleg ym 1895 o'r enw Ivor James Jones. Ond y mae'n bur debyg mai William Henry Jones, gŵr yr ydym wedi clywed ei enw o'r blaen, a ddaethai yno ym 1890, oedd hwn, ac felly buasai wedi adnabod y ficer blaenorol. Gyda llaw, aethai David Lewis Marsden, y curad a ddisodlwyd ganddo, i ffwrdd i Aberhonddu ym 1894, ac aethai hynny o hygrededd a oedd gan y ficer newydd ar ôl, i ebargofiant yr un pryd siŵr o fod.

Barn Fryer am y tystion oedd eu bod yn gwbl argyhoeddedig fod popeth a honnent wedi digwydd yn bendant, a buasent yn barod i wynebu unrhyw ymchwiliad yn eofn a hyderus. Amdano ef ei hun, ni wyddai'r ymholwr profiadol beth i'w wneud o'r adroddiadau. Yn gorfforol, meddai, nid oedd y ficer yn gryf ond yr oedd yn alluog, a gwnaethai'n dda yn Rhydychen. Yna, ceir peth amwysedd oblegid un llythyren aneglur; ai ceisio bathu gair a wnaeth sef 'vervose', i olygu 'bywydus' (neu rywbeth tebyg) neu, beth sydd yn debycach, camsillafu ac yna cywiro'r gair 'verbose'? Ei union frawddeg yw:

He is verb[v]ose (if I may use the term) rather than nervous and perhaps excitable.

Ni wyddai ddigon am Mrs Jones i basio barn arni, ond tybiai ei bod hithau o anian tebyg. Dynes dra gwahanol ar y llaw arall oedd Elizabeth Rees, a wasanaethai yno fel cogyddes. Amason o fenyw, gellid tybio, er na ddefnyddiodd Fryer y term yn hollol, clamp o Gymraes, a'r gwrthwyneb o nerfus a dychmygus.

Cawsai'r gogyddes brofiad eithriadol er hynny rai blynyddoedd yn gynharach. Golygai ei goruchwylion bellach ei bod yn ofynnol iddi fyw i mewn yn y Ficerdy, ond rhif 3 Stryd Christopher, Llanelli, oedd ei chartref. Ychydig flynyddoedd cyn hynny bu hi a'i phriod yn byw ym Metws, Rhydaman, mewn tŷ a safai ar ei ben ei hunan hanner canllath oddi wrth y cymdogion agosaf. Yn ystod haf 1889, gan fod ei gŵr yn gorfod bod wrth ei waith am bump o'r gloch fore trannoeth, yr oeddent ar ei ffordd i'r gwely am naw o'r gloch pan glywsant sŵn traed a thair cnoc ar y drws. Buasent yn disgwyl ffrind ei gŵr i alw y noson honno, rhywun nad oedd wedi ymweld â hwy yno o'r blaen, ac felly tybiwyd mai ef oedd wedi cyrraedd. Cyn iddynt fedru gwisgo amdanynt, clywyd y tri churiad eto. Aeth Mrs Rees i'r ffenestr i wylio tra oedd ei gŵr yn mynd i ateb. Cyn iddo gyrraedd y drws clywodd y ddau ohonynt y tri churiad arno eto, y drydedd waith. Ond pan agorwyd ef nid oedd neb yno. Ni welodd hithau neb chwaith, er na thynnodd ei llygaid ymaith o'r fan. Cafodd brofiadau yr un mor hynod yn y Ficerdy, ond gwraig y ficer oedd y cyntaf i ddod wyneb yn wyneb â'r anesboniadwy yno.

Un noson yn ystod gaeaf 1894, ni chofiai yr union ddyddiad, cododd Mrs Ada Hester Morgan Jones o'i gwely rywbryd ar ôl deuddeg o'r gloch i gyrchu bisgedi i'w phlentyn o'r ystafell ginio gan adael ei phriod yn cysgu'n drwm. Nodir fod tân nwy yn y cyntedd, ac efallai mai'r awgrym yw ei bod hi'n symud o gwmpas yng ngolau hwnnw, ond ni ddywedir hynny. Pan ddychwelodd, dyna lle'r oedd ei gŵr yn sefyll ar y landin yn ei ddillad nos, a chymerodd hithau'n ganiataol iddo ei dilyn gan dybio ei bod hi'n sâl. Cyfarchodd ef, ond ni chafodd ateb. Mewn 'eiliad' yr oedd hithau'n ôl yn yr ystafell wely, ac wele'r ficer yno yn dal i gysgu'n sownd a heb symud modfedd. Cafodd sicrwydd ganddo na adawsai ei wely y noson honno o gwbl.

Edrychodd Mrs Jones mewn dwy ystafell gyfagos ond heb fod ddim callach. Mynnai nad oedd ei gŵr yn cerdded yn ei gwsg, a hyd yn oed petasai hynny'n ffaith buasai wedi bod yn amhosibl iddo fynd i mewn i'r ystafell wely o'i blaen.

Rhyw nos Sul ym mis Rhagfyr 1894, a hwythau'n disgwyl y ficer adref o wasanaeth yn St John's Mission Church, clywodd Mrs Rees, y gogyddes, sŵn ei draed yn dod yn eithaf clir, a galwodd ar ei meistres: 'Mae'r ficer yn dod mewn'. Clywsai'r sŵn traed yn y cyntedd cefn, y ffordd y deuai'r ficer i mewn yn aml iawn. Nid oedd neb yno, er hynny, ac ni ddychwelodd ei meistr am hanner awr arall. Clywsai Mrs Morgan Jones hithau sŵn ei droed ond tybiodd wedyn mai tresmaswr oedd yno, trempyn efallai, er na chlywsai agor a chau drysau ac na chyffyrddwyd â dim. Clirio llestri swper yn yr ystafell ginio oedd Mrs Rees ar y pryd, a phan alwodd allan fod y ficer yn dod mewn, ystyriai'r peth yn ffaith ddigwestiwn.

Dringai'r rhiw, Bigyn Park Terrace, i fyny heibio strydoedd Mansel, Talbot a Margam, at Ysgol y Bigyn ar y dde, ac, ar yr ochr arall, Eglwys St Paul a'i mynwent gyda'r Ficerdy a'i dir a'i ardd yn ffinio â hwy. Ymhellach i fyny caed darn o dir diffaith cyn dod at West View Terrace, rhes o bedwar tŷ ar y gwastad ar ben y rhiw yn union gyferbyn â'r ysgol. Yno, yn y pellaf ohonynt, sef rhif 4, yr oedd Mrs M. Richards a'i nith, Mary Ann

Guy, yn byw.

Tua saith o'r gloch y nos ar y deuddegfed o Ragfyr 1894, wrth basio drws cefn gardd y Ficerdy, sylwodd Mrs Richards a'i nith fod golau yn un o'r ystafelloedd, un a ddefnyddid gan y ficer fel ystafell wisgo hyd ddyfodiad Mrs Rees yno fel morwyn pan ildiwyd yr ystafell iddi hi, ac yn wir medrwyd cadarnhau ar ôl hynny fod y golau nwy wedi ei gynnau yno ar y pryd. Yn sefyll yno o flaen y ffenestr gwelsant y ficer yn gwbl glir. Adnabu'r ddwy ohonynt ef heb unrhyw amheuaeth. A phetai angen prawf pellach arnynt, meddent, yr oedd het y ficer a'i ymarweddiad cyffredinol yn dangos mai ef a welsent ac nid neb arall. D. Morgan Jones a welwyd gan y ddwy yn ffenest y Ficerdy ac y mae datganiad yn dal mewn bodolaeth yn tystio i hynny ac wedi ei arwyddo ganddynt. Y Ficer a'i wraig oedd tystion y ddogfen. Ond yr hyn sy'n rhyfeddod yw bod Mrs Jones yn tyngu nad oedd dyn yn y tŷ o gwbl ar y pryd a bod y Ficer ei hun yn rhoi sicrwydd pendant ei fod ef mewn gwirionedd mewn trên yn teithio tua Bedford a digon tebyg ei fod yn croesi Llundain ar y pryd.

Aeth Nadolig 1894 heibio yn ddiddigwyddiad hyd y mae'n hysbys, o leiaf o safbwynt yr anesboniadwy, er, gellir bod yn weddol siŵr, nid heb islif astrus, a thueddwn i amau natur cyfarchion y tymor hwnnw yn St Paul, a pha fesur o ewyllys da oedd yno tuag at y ficer.

Dwyseir drwgdybiaeth amheuwyr weithiau pan ymddengys iddynt fod y mwyafrif o amlygiadau'r goruwchnaturiol yn digwydd wedi nos, neu yn y tywyllwch. Felly y bu mor belled yn yr hanes hwn. Bid a fo am hynny, ar fore'r diwrnod cyn i A. T. Fryer ddod yno, sef bore dydd Mawrth, 22 Ionawr, cafodd Mrs Rees, y gogyddes gorffog, brofiad hynotach na'r un blaenorol. Pan ddaeth allan o'r gegin gefn i'r cyntedd gwelodd D. Morgan Jones yn hollol eglur yn disgyn dros y prif risiau, a throdd ar ei sawdl a mynd yn ôl i'r gegin i dawelu'r morynion eraill rhag ofn iddynt darfu ar Mrs Morgan Jones. Cafodd, er hynny, nad oedd y ficer wedi codi o'i wely y bore hwnnw a haerai ef a'i briod nad oedd y naill na'r llall wedi bod ohono ar y pryd.

I lygaid cyfoes buasai'r clorwth hwnnw o adeilad bwganllyd yn y coed ar gyfyl eglwys dywyll a mynwent chwynnog ar lethr bryn Bigyn megis cynddelw'r tŷ a bortreadwyd mewn storïau, nofelau a ffilmiau dirifedi. A ffigwr du yr offeiriad a fu farw'n ddisyfyd yn 'bresenoldeb' a weddai'n echryslon o addas i'r fath senario. Daeth yn amlwg bellach, er gwaethaf pob rhagdybiaeth, mai yn ffigurol yn unig y gellid sôn am bresenoldeb y cyn-ficer yn St Paul ac os oedd, yn wir, unrhyw fod dieithr yno, rhith y ficer presennol oedd hwnnw.

Os derbyniwn ddilysrwydd y profiadau yn Llanelli, ni ddylid tybio eu bod yn unigryw mewn unrhyw fodd. O'r Almaen y ceir y term a arferir yn gyffredin am y ffenomen 'doppelgänger', sef cyffelybrwydd drychiolaethol neu ddwbl person byw, a chredir yn gyffredin ynddo yn Ewrop, yn enwedig yn yr Almaen. Rhoddir sylw amlwg iddo mewn llên gwerin ond ceir hefyd lawer iawn o hanesion uniongyrchol am y ffenomen, rhai gan bobl enwog megis Goethe, a chafodd yr awdur Ffrengig athrylithgar Guy de Maupassant brofiad ysgytwol ohono ym 1885. Ymddengys fod person yn cael ei hawntio gan yr ysbryd, a bod hynny'n dynodi y gall ef neu hi ddisgwyl rhyw drasiedi bersonol ofnadwy cyn bo hir.

Yn yr Alban, gelwir y drychiolaethau hyn yn 'co-walkers' a disgrifir hwy gan Robert Kirk (1641-92, y gŵr a drodd y Salmau Cân i'r Wyddeleg), yn ei gyfrol enwog *The Secret Commonwealth*, a gyhoeddwyd ym 1691 (ond gw. argraffiad diweddaraf, 1933, gyda rhagymadrodd R. B. Cunninghame Graham) fel:

> ...in every way like the Man, as a Twin-brother and Companion, haunting him as his shadow, both before and after the original is dead.

Bu hon yn ffenomen adnabyddus yng Nghymru. Aeth Jonathan Ceredig Davies (1859-1932) mor bell â dweud yn *Folklore of West and Mid Wales*, Aberystwyth 1911, tud. 161-164, fod llawer o Gymry, tra eu bod yn chwerthin am ben y syniad o ysbryd, yn barod iawn i gydnabod y posibilrwydd o ymddangosiad ysbryd dyn byw. Rhydd yr hen anturiaethwr diwyd enghreifftiau o'r union beth o Pont-siân; Gogoyan; Ystradteilo (Llanrhystyd) a Mydroilyn yn Sir Aberteifi, a dau o Lan-y-bri yn Sir Gaerfyrddin. O Swyddffynnon, Sir Aberteifi, y daw'r enghraifft a roddir yn *Welsh Folklore* gan y Parchedig Elias Owen (1833-99), ficer Llanyblodwel, Sir Amwythig, cyfrol a gyhoeddwyd yn 1896, gw. tud. 296.

Anghymwynas â byrdwn yr hyn sydd dan sylw fyddai anwybyddu cyfraniad difyr y Parchedig Evan Isaac (1865-1938) yn *Coelion Cymru*, Y Clwb Llyfrau Cymreig, 1938, tud. 65-6, ac fe'i dyfynnaf yn llawn er mwyn rhoi un enghraifft o ardal gwbl wahanol:

YSBRYD DYN BYW. Yn fy ymchwiliadau, cyfarfûm o dro i'w gilydd ag amryw a gredai weled ohonynt ysbrydion dynion byw. Yn ystod rhan gyntaf fy nhymor yn Aberystwyth, rhwng 1920 a 1923 [gweinidog gyda'r Wesleaid oedd yr awdur], a Miss Roberts, Bont Goch, a minnau yn ymgomio un prynhawn am hen goelion yr ardal, gofynnais iddi a welodd hi ysbryd yn ystod ei hoes faith o bedwar ugain mlynedd. Atebodd iddi weled llawer o ysbrydion ac y gwelai hwy o hyd, eithr mai ysbrydion dynion byw oeddynt i gyd, ac na welodd erioed ysbryd dyn marw. Rhyw hanner milltir o Bont Goch – sydd ar y mynydd, chwech neu saith milltir i'r gogledd o Aberystwyth – y mae plas bychan o'r enw Cefn Gwyn sy'n feddiant i'r Gilbertsons ers rhai cenedlaethau. Pan ddaeth y plas i feddiant y Parchedig Lewis Gilbertson, a oedd yn offeiriad yn Lloegr, gofelid am y tŷ yn absenoldeb y teulu gan Miss Roberts. Treuliai'r teulu fisoedd yr haf bob blwyddyn yn y Cefn Gwyn; yn ystod un o'r gwyliau hyn gwelodd yr hen wraig, Miss Roberts, ysbryd yr offeiriad. A'r drws tan glo, un canol nos, gwelodd ef yn ei hystafell. Symudodd yn araf a thawel drwy'r ystafell, yn ôl a blaen, amryw weithiau, ac yna diflannu.

Yr ystafell lle gwelwyd rhith D. Morgan Jones yn y ffenestr a'i het ar ei ben oedd lleoliad y digwyddiad nesaf yn Ficerdy St Paul. Fel yr esboniwyd, ystafell Elizabeth Rees oedd honno, ac ar y diwrnod y cyrhaeddodd Alfred T. Fryer (ddydd Mercher, 23 Ionawr) aeth y gogyddes i fyny i sicrhau faint o'r gloch oedd hi yn ôl y cloc ar ei silff ben tân, rhag iddi fod yn hwyr yn paratoi te. Buasai'n rhesymol tybio iddi gymryd gofal neilltuol oblegid dyfodiad yr ymwelydd arbennig a oedd i aros yno dros nos.

Tua 4.30 oedd yr amser. Ni ddychwelodd i'w hystafell tan 9.30, ac ni bu neb arall i mewn yno yn y cyfamser chwaith. Dyna'r gosodiad moel ond penodol yn ei hardystiad, hynny yw ni chyfeirir at gloi na datgloi'r drws. Erbyn hynny roedd y cloc wedi ei droi i wynebu'r wal. Ond gan na ellid ei gyrraedd ond drwy benlinio ar y gwely, sylwodd ar unwaith nad oedd pantiad yn nillad y gwely fel y buasai 'bod soled' o angenrheidrwydd wedi ei adael yno. Nid oedd y dillad wedi eu haflonyddu o gwbl. Galwodd ar y famaeth, Martha Eliza Williams, i gadarnhau'r ffaith, ac arwyddodd honno ddatganiad ysgrifenedig i'r perwyl.

Drannoeth i ymadawiad Fryer, sef ar ddydd Gwener, 25 Ionawr, yr oedd ffrind i Mrs Morgan Jones ar ymweliad â'r Ficerdy, 'E.I. Jones, Kidwelly Vicarage', a ardystiodd yn ddiweddarach i'r hyn a ddigwyddodd y diwrnod hwnnw, a chan mai'r Parchedig D. Daven Jones (awdur *A History of Kidwelly*, Spurrell, 1908) oedd ficer Cydweli o 1888 hyd 1908, y mae'n lled amlwg mai ei briod oedd y tyst – os tyst hefyd. Fel hyn y bu.

Digwyddai'r Parchedig a Mrs Morgan Jones fod yn y gegin gyda Mrs Rees y forwyn pan glywodd y tri ohonynt, yr un pryd, y piano yn cael ei chwarae yn y parlwr *(drawing room)*, ond pan aeth Mrs Morgan Jones i mewn i'r ystafell i siarad â'i ffrind fe'i cafodd yn eistedd wrth y tân. Nid oedd wedi cyffwrdd â'r piano ac, yn rhyfeddach fyth, ni chlywsai mohono chwaith er bod yr offeryn yn yr un ystafell â hi. Ar hynny, drwy ddrws lled agored y parlwr clywodd Mrs Morgan Jones ddolen drws y stydi yn cael ei throi'n ffyrnig fel petai rhywun, meddai, yn ceisio agor clo ystyfnig. Hi yn unig glywodd y sŵn. Daliai ei phriod i fod yn y gegin ac yr oedd ei ffrind yn ei hymyl. Ond ni chlywodd y naill na'r llall ddim.

Megis o'r tu hwnt i ffin na ellir mo'i chroesi bellach, arwyddodd yr ysgwyd annirnadwy yna ar ddrws y stydi fod yr aflonyddwch yn Ficerdy St Paul, Llanelli ar ben.

* * *

Trosglwyddodd A. T. Fryer bob tystiolaeth am achos Llanelli i un o bersonau mwyaf blaengar y dydd ym maes ymchwil seicig, sef Mrs Eleanor M. Sidgwick (1845-1936) o'r *Society for Psychical Research*, a thrwy hynny diogelwyd y manylion yr ydym wedi dibynnu yn llwyr arnynt yn y bennod hon. Dynes anorthrech oedd Mrs Sidgwick, priod yr Athro Henry Sidgwick (1838-1900), Caergrawnt, Llywydd cyntaf yr S.P.R.; chwaer Arthur J. Balfour, Iarll Cyntaf Balfour, a Phrif Weinidog o 1902 i 1905. Hawdd y gellid manylu ar ddiddordeb ei theulu a'i chysylltiadau deallus yn y goruwchnaturiol. Priododd chwaer yr Athro Sidgwick ag Edward White Benson, un o hoff archesgobion Caergaint y Frenhines Fictoria ac un o sefydlwyr y *Ghost Club*, ac yr oedd Mrs Sidgwick felly yn fodryb i'r brodyr Benson enwog, awduron storïau ysbrydion tra effeithiol. Pan gysylltodd Fryer â hi ar ôl ei ymweliad â Llanelli, hi oedd Prifathrawes Coleg Newnham, Caergrawnt, coleg arloesol i ferched, a bu yn y swydd o 1892-1910. Dywed Renée Haynes yn *The Society for Psychical Research 1882-1982, A History*, Macdonald, 1982 tud. 10:

Cool, detached, reasonable, lucid, scrupulously just and accurate in the pursuit of objective truth, the standards of the Sidgwicks and their friends have deeply influenced the Society.

O 1888 i 1897 Mrs Sidgwick oedd golygydd cyhoeddiadau'r
S.P.R., sef y *Journal* a'r *Proceedings* (y cyfeiriwyd atynt eisoes).
Soniwyd eisoes am yr adolygiad beirniadol clasurol o achosion
a gyhoeddwyd mewn dwy gyfrol fawr anhylaw ym 1886,
Phantasms of the Living; ffaith arwyddocaol, o safbwynt yr hanes
hwn, yw i Mrs Sidgwick gynhyrchu argraffiad talfyredig ohono
ym 1918, er nad yw'n astudiaeth mor gyfyng ag y gellid tybio
(am drafodaeth fanylach o ymwneud Mrs Sidgwick â'r pwnc
gw. cyfrol Renée Haynes op. cit. tud. 33 ymlaen, ac am ei gwaith
yn y maes yn gyffredinol gw. Ethel Sidgwick, *Mrs Henry
Sidgwick*, Llundain, 1938; ac Ivor Graltan-Guinness, *Psychical
Research A Guide to its History, Principles and Practices*, The
Aquarian Press, 1982).

Yn ogystal â'i sylwadau a'i argraffiadau ef ei hun,
danfonodd Fryer gynlluniau bras o'r Ficerdy ac o'r ystafell lle
gwrthdrowyd y cloc i Mrs Sidgwick ynghyd â phedwar
ardystiad: (1) Mrs A. H. Morgan Jones, wedi ei arwyddo ganddi
hi, E. I. Jones, Kidwelly Vicarage, a D. Morgan Jones (29 Ionawr,
1895); (2) Elizabeth Rees, wedi ei arwyddo ganddi hi, ei meistr,
a Martha Eliza Williams (28 Ionawr, 1895); (3) gan yr un tyst am
ei phrofiad yn y Betws, Rhydaman, wedi ei gydarwyddo gan y
ficer (2 Chwefror, 1895); a (4) Mrs M. Richards a'i nith wedi ei
arwyddo gan y ddwy, a'r ficer a'i briod (2 Chwefror, 1895).

Diwedda Fryer ei lythyr at Mrs Sidgwick ar 1 Chwefror
gydag ôl-nodyn:

Rwyf dan yr argraff mai'r asiant yn yr aflonyddiadau yma
yn Llanelli yw Mr M.J. ei hun. Cafodd ei ystyried yn
'gyfryngwr' da gan fesmeriaid.

Yn gam neu yn gymwys, cyfrwng i helbul a fu yn Llanelli, a
chyn pen fawr o dro cafodd ei hun yn 'eistedd yn eisteddfa
gwatwarwyr'.

Pennod 5

GALANAS

Adlewyrchwyd yr aflonyddwch yn y Ficerdy ar ei ganfed gan anfodlonrwydd cynyddol y plwyfolion. Ymgasglai storm o gwmpas y ficer, a honno'n dduach na'i gasog, a chynhyrfwyd pwysigion sidêt a startshlyd i orffwylltra gwynias. Corddai trobwll o emosiynau yno, ac mae hysteria felly yn beth hunanbarhaol. Un o elfennau'r fortecs oedd yr anathema iddynt hwy bod sgandal yn gysylltiedig â'u hardal sacrosanct wedi cyfnod hir o gynnydd a phopeth delfrydol. Medrent ymffrostio na bu mwy o adeiladu yn hanes nemor blwyf yn y wlad o fewn llai na hanner can mlynedd. Yn ystod cyfnod D. D. Jones yn unig, sef o 1876 hyd ei farw ym 1893, codwyd tair eglwys ychwanegol, a dwy Ystafell Genhadol, ac adnewyddwyd St Paul, a helaethu Eglwys St Pedr.

Chwaraeodd gwrthdrawiad personoliaethau ran, mae'n siŵr, ac wrth gwrs y mae'n rhaid bod aflerwch y ficer gyda'r cyfrifon yn elfen dyngedfennol.

Cyflëir ethos y plwyf yng ngwanwyn 1895, ac am gyfnod sylweddol wedyn mewn erthygl yng nghyfres nodwedd y *Llanelly and County Guardian*, 'Pulpit Miniatures', wrth sôn am blwyf St Paul a'i ficer ar Hydref 24, 1901. Bellach, ers mis Mawrth 1898, Y Parchedig T. Beynon Williams oedd yn offeiriad yno. Rhydd y golofn fwy o sylw i'r anfarwol D. D. Jones, ond canmolir y ficer presennol yn ddigon anrhydeddus, a dywedir fel hyn amdano:

He has revived interest in the work of the churches, the financial arrangements have been simplified, and coming into the parish when it was in a state, not only of financial, but also of moral and spiritual chaos, he has brought about an improved state of things. To-day, all the churches are flourishing like the green bay tree, and every organization affiliated with them is equally successful.

Dyna sut y gwelid pethau dros dair blynedd wedi'r cyfnod a drafodwn yn awr, ond dylid nodi hefyd yr hyn a ddywedwyd am y ficer newydd gan un o bapurau Sir Benfro ar ei benodiad i St Paul, wrth resynu ei fod yn gadael Llandyfái:

> ... the neighbourhood has lost a man who in the discharge of duty defied all earthy [sic.] powers that be; one who pandered not to the squirearchy, neither did he heed the mob. Lamphey when Mr Williams arrived was in a broil; he came, he saw, he conquered; and now the people will miss their champion.

Yn amlwg, felly, cawsai T. Beynon Williams enw da fel datryswr problemau (troubleshooter), ac wrth olynu D. Morgan Jones deuai i blwyf a ystyrid yn fywoliaeth dda ond un a oedd yng Nghors Anobaith. Gan ei fod yn dod o 'Sir Gâr' ychwanegodd y Llanelly Guardian (wrth ddyfynnu'r uchod 17 Mawrth, 1898, tud. 3; col. VI) nid oedd cwestiwn chwaith ynglŷn â'i 'Welshmanship'.

* * *

Trafodwyd materion plwyfol gynt gan y Festri. Ystafell mewn eglwys lle y cedwir yr urddwisgoedd a chyfarpar arall yw'r Festri. Ond gan fod y plwyfolion wedi tueddu i gyfarfod yno i weinyddu busnes y plwyf, gelwid y corff yna o blwyfolion a'r pwyllgor hefyd yn 'Festri'. Hyd Ddeddf Llywodraeth Leol 1894, y Festri oedd yr awdurdod terfynol ar faterion plwyfol, dinesig ac eglwysig, a'r arferiad oedd i offeiriad y plwyf fod yn y gadair. O hynny allan ffurfiwyd Cynghorau Plwyf seciwlar, ac yn ddiweddarach (1921) daeth gweinyddiaeth eglwysig yn gyfrifoldeb y Cyngor Plwyf Eglwysig (Parochial Church Council). Felly, yn swyddogol o leiaf, cyfundrefn newydd ei sefydlu oedd yn bodoli yn St Paul, Llanelli, yng ngwanwyn 1895. Yn un o'r festrïoedd a gynhaliwyd gwrthwynebwyd presenoldeb y wasg gan lynwr posteri o'r enw Mr Luxton, ac nid oedd heb gefnogaeth. Pam yr oeddynt yn talu sylw yn awr, gofynnodd gan bwyntio at un o newyddiadurwyr y *Llanelly Guardian*, a hwythau heb ddangos diddordeb mewn festrïoedd eraill ers saith mlynedd ar hugain? Yr ateb wrth gwrs oedd fod hen egwyddor y wasg ar waith: 'Canys pa le bynnag y byddo'r gelain, yno yr ymgasgl yr eryrod.' Gofynnwyd i ddau Anghydffurfiwr, nad oeddynt o'r plwyf, i adael y Festri ohiriedig (ar 26 Ebrill) y cyfeiriwn ati yn nes ymlaen. Chwilfrydedd afiach oedd eu cymhelliad hwythau hefyd, siŵr o fod.

Diflastod anffodus yw gwrthdaro ar ei orau, a'r mwyaf cythreulig ei anian pan ddigwydd yn y lle olaf y dylai fod. Er na chaed penawdau mor freision â heddiw yn newyddiaduron y cyfnod hwnnw, yr oedd 'VICAR v. PARISHONERS' yn ddigon drwg mewn unrhyw ffont. Gellid tybio hefyd fod cael cymryd rhan yn y ffracas yn fêl ar fysedd y rhai a hoffai ymgecru.

Disgwylid annifyrrwch yn y Festri a gynhaliwyd yn Ystafell Goffa St Paul nos Wener, 19 Ebrill, 1895, oherwydd yr hyn a ddigwyddasai yn festrïoedd yr eglwysi eraill yn y plwyf yn ystod yr wythnos a'r cyhuddiad eu bod yn anghyfreithlon. Ymgasglodd tyrfa fawr o'r plwyfolion yn gynnar iawn, ond pan ddaeth amser dechrau am hanner awr wedi saith nid oedd sôn am y ficer. Etholwyd y curad hŷn, Y Parchedig W. H. Jones, i'r gadair. Ond mynnodd ef wneud yn glir nad oedd mewn unrhyw ffordd yn wrthwynebus i'r ficer ac y buasai'n ildio'r gadair ar unwaith pe deuai yno. Y cam nesaf fu dewis dirprwyaeth o bedwar i geisio dod o hyd i'r ficer, a bu cryn dipyn o densiwn a gwewyr disgwyl iddynt ddychwelyd. Trodd y bygwth a'r becso yn fonllef o gymeradwyaeth, er hynny, pan ddychwelodd y cwmni a'r ficer wrth eu sodlau. Ysgydwodd ddwylo nifer o'r wardeniaid agosaf ato yn galonnog a scathrodd W. H. Jones yn ddiseremoni o'r gadair.

Esboniwyd mo'i ddiweddarwch ar y pryd ond mewn llythyr i'r wasg yr wythnos ganlynol mynnodd y ficer nad oedd gwir yn y swae ei fod yn hwyrfrydig i ddod i'r festri. Medrai ei frawd, A. T. Jones, Glandyffryn, Llandeilo, dystio iddo sôn sawl gwaith yn ystod y dydd am ei fwriad i fod yno. Trefnasai i fynd i lawr yng nghwmni Edward Harries, un o'r wardeniaid eglwys, a phan alwodd hwnnw aethai yntau i lawr fel y cytunwyd.

Yn Gymraeg yr agorodd y Parchedig D. Morgan Jones y drafodaeth. Ond nid y cyfrwng oedd y diffyg ond y cloffni ymhlyg yn ei sylwadau. Er ceisio ei orau glas, ni fedrai ddod o hyd i'r llyfr cofnodion a oedd yn ei ofal. Chwiliasai ym mhobman yn y Ficerdy drwy'r min nos ond ni ddaethai i glawr. Gwyddai mai ef oedd yn gyfrifol am y llyfr, ond gan fod camgymeriadau'n digwydd yn y cartrefi mwyaf trefnus, gobeithiai y derbynient ei air mai wedi ei gamgadw ar ddamwain oedd y llyfr cofnodion yn hytrach nag wedi ei guddio na'i gelu'n fwriadol; doedd yna ddim rheswm o gwbl, meddai, dros beidio â'i ddangos. Dyn mewn cors, a'i ymdrechion, pa mor ddidwyll bynnag, i'w ryddhau ei hun ddim ond yn llwyddo i'w wneud yn fwy o ysglyfaeth. Ddwedodd neb ddim; gwnâi'r gors ei gwaith ei hun.

Aed ati i ethol archwilwyr a wardeniaid, ond yna tynnwyd sylw at y ffaith nad oedd y Festri wedi ei chyhoeddi'n rheolaidd yn St Pedr ac felly byddai'r apwyntiadau yn anghyfreithlon. Awgrymodd y ficer eu bod yn gohirio'r mater tan y nos Fercher ganlynol ac yn y cyfamser cydymffurfiai ef â'r gyfraith ar y mater. Eto ni bu sŵn, ond suddo a wnâi bob yn fodfedd.

Llechai enbydrwydd o dan yr wyneb. Murmurwyd yn anfoddog, difenwyd y ficer a bu bygwth byrbarhaol, ond y foment y gofynnodd cynghorydd o'r fwrdeisdref am ddatganiad ariannol cafwyd curo dwylo. Yn amlwg yr oedd wedi cyffwrdd mater sensitif. Eglurodd y ficer fod hanner dyled y plwyf wedi ei glirio drwy gymynrodd ei ragflaenydd a Mrs Davidson, y fam-yng-nghyfraith. Cytunodd D. Williams Rees, cyfreithiwr lleol, â'r ficer, ond apeliodd yn daer ar y plwyfolion i wneud rhywbeth ynglŷn â'r mater. Er bod y diweddar ficer wedi marw ers dwy flynedd a chwarter, ni leihawyd ceiniog o weddill y ddyled. Fel ysgutor ewyllys D. D. Jones, buasai'n dda iawn ganddo er lles ymddiriedolwyr y cyn-ficer petai'r wardeniaid yn cwrdd neu yn ethol pwyllgor i ddelio â'r peth. Mynegodd barodrwydd i gyfarfod gweithgor felly, i drafod dulliau o dalu dyledion. Gwnaethai'r cyfreithiwr y pwynt eisoes, felly y mae'n rhaid mai pwysleisio'r peth oedd amcan holi pa faint o'r ddyled a dalwyd gan y ficer presennol. Achosodd ateb D. Williams Rees syfrdandod: 'Dim ceiniog goch'. Oernadodd llais o'r dorf fod rhywbeth mawr o'i le a gofynnodd yr Arolygwr Tudor Davies pam nad oedd y ficer wedi galw nac wedi presenoli ei hun yn y Festri a gynhaliwyd yn St Pedr y nos Fercher flaenorol? Atebodd D. Morgan Jones mai ef ei hunan a neb arall oedd ar fai am y cyfan. Ni thybiai fod angen iddo fanylu ar y materion personol a fuasai'n ofid dirfawr iddo'n ddiweddar. Rhoddai esboniad llawn o'i ddiffygion i eglwysi St Paul a St Pedr a gwnâi ymddiheuriad llwyr. Bu'n rhaid iddo ymgodymu ag anawsterau yn ystod y bythefnos flaenorol ond yr oeddynt drosodd bron iawn ac, wedi setlo popeth, bwriadai ymroi ei hun yn llwyrach ac yn fwy didwyll i waith y plwyf yn y dyfodol. Am ennyd oedodd awel fwyn dros wyneb yr hen gors gas.

Byr fu ei pharhad. Haerodd rhai fod mwy wedi ei gasglu tuag at y *Church Pastoral Aid* a'r *Additional Curates Society* (sef y gymdeithas a gynrychiolid gan Alfred T. Fryer, wrth gwrs) nag a oedd wedi ei drosglwyddo i'r cymdeithasau hynny; dim ond un o'r ddwy gronfa a gefnogid gan y plwyf yn amser y cyn-ficer, meddai rhywrai arall. Pwy a ŵyr, efallai mai'r sylw hwnnw a wylltiodd y ficer. Sut bynnag, mewn llais stentoraidd heriodd unrhyw un i ddweud ei fod yn euog o beidio â throsglwyddo unrhyw arian i'r naill gymdeithas na'r llall. Am foment ymddangosai bod y ffrwydrad wedi ei stopio'n stond. Dim o'r fath beth, oblegid yr oedd yno fwlïaid o amryw faintioli, ac ambell deyrn. Unwaith y flwyddyn yn unig, yn y Festri flynyddol, meddai un o'r rheiny yn gwbl gyfiawn, y caent y fraint o drafod materion plwyfol, ond yna ychwanegodd:

'Don't you be "snotty" like that, because we can be "snotty" as

well as you.'

Cymerasai dyn o'r enw Evan Jones ran flaenllaw yn y drafodaeth a pheri chwerthin pan gyffesodd iddo yntau anghofio mynd i o bwyllgor a drefnwyd gan archwiliwr y cyfrifon, er iddo gael ei hysbysu'n benodol amdano. Neidiodd ar ei draed yn awr i roi cerydd llym i'r siaradwr olaf am ei iaith. Aeth ymlaen i esbonio mai cyfrif yn dangos y cyfraniadau oedd yr unig beth angenrheidiol. Ymateb y ficer oedd na fedrai gyflwyno'r fath beth ar eiliad o rybudd – ni fyddai unrhyw ddyn call yn disgwyl iddo wneud hynny – cyflwynai fantolen pe câi rai dyddiau i'w pharatoi. Ceisiodd ganddynt adael iddo fynd i'r Ficerdy i gyrchu'r llyfrau a'r manylion am y symiau a dalwyd at y *Church Pastoral Aid* a'r *Additional Curates Society*. Cododd un David Davies i ddweud nad oedd y ficer ddim yn mynd allan o'r ystafell tra oedd ef yno, ac ychwanegodd un arall: 'Byddwch yn ddyn, Mr Ficer, a siaradwch lan, rhowch gyfrif inni o'r arian.' Yn dilyn ymateb y clerigwr i rai sylwadau eraill, cafodd y cwmni achos i resynu llawer at osodiad tramgwyddus ac annymunol a wnaed yn fyrbwyll gan y geg fawr, Mr Luxton. Arwydd oedd ymateb gweddus felly o barhad ambell dwyn diogel yn y fignen fwyaf.

Croesholwyd y ficer ynglŷn â rhoddion i'r tlodion adeg y Nadolig. Derbyniasai £5, meddai, ond wedi rhybudd i feddwl yn ofalus, achosodd chwerthin drwy gywiro'r swm i £6. A rannwyd yr arian ymhlith y tlodion? Do, yn bendifaddau. Oni ddanfonodd Mr Bourne rywbeth ato? Na; rhoddai £5 fel rheol i'r tlawd ond ni chawsai ddim ganddo y Nadolig blaenorol. 'Mae popeth yn iawn, fy ffrindiau annwyl i,' meddai'r ficer.

'Wel rhowch gyfrif o'r manylion inni felly,' atebodd ei holwr diweddaraf.

Addawodd D. Morgan Jones y caent y manylion ariannol, ond apeliodd am chwarae teg, a cheisiodd ganddynt siarad un ar y tro. Uwchlaw corws byddarol o leisiau cynigiodd Evan Jones eu bod yn gohirio'r Festri am wythnos i roi cyfle i'r ficer roi trefn ar y cyfrifon a pharatoi atebion i unrhyw gyhuddiadau a wnaed. Eiliwyd ef, ond parhaodd yr ymosodiadau a dyma'r clerigwr yn cymryd agwedd benderfynol a herfeiddiol ac yn datgan pe dymunai'r plwyfolion iddo adael y plwyf, y gwnâi hynny:

which remark seemed to come as a pleasant surprise to everyone.

Am y tro, wedi ethol wardeniaid newydd, gadawyd y cyfan yn y gwynt neu, yn gywirach, yn y gors, a daeth teirawr o Festri afreolus a chynhennus i ben.

Manylwyd yn y modd yna er mwyn cyfleu ymwybyddiaeth drylwyr o'r awyrgylch elyniaethus a fodolai yn y plwyf ac a ferwodd trosodd yn fuan wedi'r arwyddion goruwchnaturiol honedig yn y Ficerdy. Afraid 'presenoli' ein hunain yn y dull yna yn y Festrïoedd eraill a gynhaliwyd, ond nodwn ambell episod i ddangos sut y bu i'r ffrae lusgo ymlaen yn boenus am amser hir.

Rhyfedd yw dweud fod y ficer yn hwyr iawn yn cyrraedd Festri ohiriedig St Paul y nos Wener ddilynol. Ymddiheurodd yn llaes am iddo dybio mai 8.00 o'r gloch oedd yr amser dechrau yn hytrach na 7.30. (O dan yr amgylchiadau buasai'r rhan fwyaf o bobl wedi sicrhau eu bod yno'n brydlon rhag cloffi o'r cychwyn, ond nid hwn!) Cyffelybwyd ei drybini gennym i drafferthion rhywun mewn cors, a chyferbyniaeth debyg a ddefnyddiodd ef ei hun ar yr achlysur yma. Mentrodd fynegi hyder y cefnogent ddyn a fuasai 'o dan y dŵr'. Druan ohono; yr oeddynt o dras yr *Hard-hearted Hannah* honno yn y gân jazz enwog:

'I saw her on a seashore
With a great big pan,
She was pouring water
On a drowning man . . .'

Aethant benben mewn byr o dro. Ofnent, pe derbynnid

cofnodion y cyfarfod blaenorol a gynhwysai'r cyfrifon a oedd wedi eu harchwilio ond heb eu mabwysiadu, na fyddai hawl i drafodaeth bellach ar faterion plwyfol. Mawr fu'r brygowthan ar draws ei gilydd er i'r ficer ddweud rywdro yn ystod y sgarmes: *'Fair play to the Welshmen, they have been quiet.'* Pa mor ddoeth oedd y gosodiad sydd yn fater arall. Amrywiodd ei dacteg y tro hwn eto rhwng pledio am eu trugaredd a'u cydymdeimlad, i geisio bod yn awdurdodol: 'Chi neu fi sydd yn y gadair?' gofynnodd i un o'r enw Newman a oedd byth a beunydd ar ei draed, gan nesáu'n fygythiol ato, 'Os mai chi sydd yn y gadair,' atebodd hwnnw'n ffyrnig, 'ewch yn ôl iddi!' Ar y llaw arall cyhuddwyd ef yn agored cyn diwedd y nos o chwilio am dosturi a chwarae i'r galeri.

Wrth sicrhau y Newman yma yn Festri St Pedr ddwy noson cynt, y cyflwynai fantolen yn y Festri ohiriedig hon, ychwanegasai D. Morgan Jones y byddai rhai o'i ffrindiau'n bresennol (ac yr *oedd* rhai) i sicrhau ei fod yn cael chwarae teg. Ymateb swta Newman oedd fod hynny'n bwrw sen ar gorff parchus o bobl, ac y gofalai'r plwyfolion i gyd y câi'r ficer nid yn unig chwarae teg, ond ei haeddiant hefyd.

Un peth oedd cyfrifon y wardeniaid eglwys, peth arall oedd cownt y ficer. Addefodd nad oedd popeth, er pob ymdrech, yn wybyddus iddo, ond roedd elw y deuddeg cyngerdd a gynhaliwyd yn 1894 wedi ei fancio. (Holasid yn gas yn Festri St Pedr a oedd costau cyngerdd gan y *Rhondda Glee Society* wedi eu talu.) Aeth ymlaen i esbonio fod mwy wedi ei dalu allan o Gronfa'r Curadiaid nag a dderbyniwyd ers iddo ddod i'r plwyf. A hwythau, meddai, yn gwybod cymaint am ei sefyllfa, ei amgylchiadau a'i helbulon, erfyniai ar y rhai a oedd â chalonnau dynion yn eu mynwes i'w helpu. Gwnâi ef ei hun hynny o flaen undyn o dan haul Duw. Serch llwyraf ei blwyfolion yn unig a geisiai. Ar ôl mynnu nad oedd yn dwyllwr fel y tybient, dadlennodd ei gyfrifon iddynt fel rhywun yn taflu asgwrn sych i haid o fytheaid a oedd am ei einioes, gan obeithio ei fod yn offrwm digonol i'w arbed.

Cynddeiriogwyd pethau ar unwaith pan ddywedodd fod chwe mis o gyflog yn ddyledus i un o'r curadiaid. 'Rhag cywilydd,' gwaeddodd rhai. Sut y gallai dalu? A ddisgwylid iddo dalu o'i boced ei hun? 'Na!' meddai rhywrai. Pam na fuasai'r plwyfolion yn ei helpu? A oedd yn deg disgwyl i ddyn ifanc gyda gwraig a thri o blant dalu symiau sylweddol ymlaen llaw (fel y gwnaethai) a gorfod disgwyl i gael ei arian yn ôl? Medrai'r ddau gurad gadarnhau (ac yr oedd y ddau'n bresennol) nad oedd yr hyn a dderbyniasai oddi wrth y *Church Pastoral Aid* a'r *Additional Curates Society* yn ddigonol.

Danodwyd iddo'n chwyrn nad y plwyf a'i gadawsai ef i lawr eithr mai'r gwrthwyneb oedd yn wir. Petai ef wedi gwisgo'r harnais (a dyna'r union ymadrodd a ddefnyddiwyd) a adawsai eu diweddar ficer, nid mewn dyled o £70 i ddau gurad y byddent, ond yn cynnal pedwar curad yn anrhydeddus fel yr oeddynt yn gwneud pan ddaethai D. Morgan Jones atynt.

Rhygnodd y cweryl ymlaen, ac y mae'n anodd penderfynu bob tro ai troedio mor ofalus â chath oedd y ficer neu ymddwyn yn rhwystrol. Ni ellir ond dyfalu hefyd beth tybed a ddigwyddodd yn ystod darllen ei fantolen, i achosi *'the concluding scene, which brought the proceedings to an abrupt and unceremonious end'*.

* * *

Aeth pethau o ddrwg i waeth, ac erbyn mis Medi adroddodd y papur lleol fod yr arddangosfa anweddus yn achos i Eglwyswr ac Anghydffurfiwr fel ei gilydd resynu wrtho. Yn gam neu'n gymwys, meddai'r *Llanelly and County Guardian,* 12 Medi 1895, enynnodd y Parchedig D. Morgan Jones atgasedd mawr. Mewn cyfarfod yn y Memorial Rooms y nos Iau flaenorol, udo a hwtio a wnâi'r gynulleidfa o hanner cant bob tro y cyfeiriwyd ato. W. H. Cox oedd cadeirydd y cyfarfod a alwyd i drafod ymateb Arglwydd Esgob Tyddewi i'w herfyniad.

Tynnai tymor hir y Gwir Barchedig Basil Jones (1822-1897)

yng nghadair Dewi tua'i derfyn pan ddaeth yn ofynnol iddo ddelio â'r mater diflas hwn. Perthynai'r esgob da i ddosbarth y 'squarsons' y cyfeiriwyd atynt yn gynharach. Hanai o hen deulu bonheddig Gwynfryn ger Llancynfelyn. Siaradai Gymraeg, er nad yn rhugl; ni thueddai at genedlaetholdeb chwaith ond yr oedd yn weinyddwr ardderchog ac nid edwinodd ei glod yn yr esgobaeth hyd heddiw. (gw. T.I. Ellis, *Y Bywgraffiadur Cymreig hyd 1940, tud. 496 &c*).

Pardduo'r prelad parchus a wnaeth plwyfolion St Paul pan ddarllenwyd ei epistol hir. Datganodd na fedrai awdurdodi ymchwiliad nac ymholiad trylwyr i faterion yn ymwneud â'r plwyf a'r ficer onid oeddynt yn barod i wneud rhyw gyhuddiad penodol yn erbyn yr offeiriad.

Terfysglyd oedd pethau ar y gorau, wrth gwrs, yn hanes yr Eglwys Anglicanaidd yng Nghymru yn y cyfnod hwn, gyda dadlau yn Nhŷ'r Cyffredin, a llawer sgarmes yng nghefn gwlad, yn gefndir cyffredinol i'r digwyddiadau a ddisgrifir yma. Bu Datgysylltiad yn bwnc llosg ers blynyddoedd, a berwodd· y sefyllfa drosodd gyda Rhyfel y Degwm o'r 1880au diweddar ymlaen. Codwyd gwrychyn Anghydffurfwyr mewn llawer man am fod trethi i gynnal yr Eglwys Wladol yn cael eu gorfodi arnynt, a beilïaid, gyda chymorth plismyn, yn atafael gwartheg ac eiddo (gw. Kenneth O. Morgan, *Wales in British Politics 1868-1922*), Gwasg y Brifysgol, 1963; Elwyn L. Jones, *Gwaedu Gwerin*, Gwasg Gee, 1983 a Pamela Horn, *The Tithe War in Pembrokeshire*, Beacon Publications, 1982).

Ciwed o wrthgilwyr i'r rhengoedd Anghydffurfiol oedd y pwyllgorwyr a wrandawodd ar ateb yr Esgob y noson honno, i bob golwg. Brwydr Llanelli oedd yn bwysig i'r eglwyswyr hyn a naw wfft i Ryfel y Degwm. Ergydient yn gas. Caed bonllef o gymeradwyaeth i'r gosodiad fod yr Esgob cynddrwg â'r Ficer. Brysied y dydd pan ddeuai Datgysylltiad, meddai un arall, ac, yn ôl eu sŵn, cytunai pawb. Celsaethodd y Newman hwnnw o rywle nad oedd y cyfan ond yn datgelu diffygion difrifol y deddfau eglwysig. Caed sôn am gloi'r drysau a gadael yr eglwysi'n wag neu eu troi'n feudai. Pan aeth y Cadeirydd mor bell â holi a ellid dwyn cyhuddiad penodol yn erbyn yr Esgob, camddefnyddio arian y plwyf oedd awgrym rhywun, a chaed curo dwylo i hynny. Cyfuniad o ddicllonedd a gwawd fu'r cyfarfod, gydag elfen gref o randibŵ yn rhedeg drwyddo, ond daeth i ben yn sydyn a neb fawr callach.

* * *

Aethai rhai blynyddoedd heibio ers i ficer gael cymaint o sylw am y rhesymau anghywir yn Llanelli. Periglor peryglus oedd y Parchedig Ebenezer Morris, Ficer Llanelli o 1820 hyd 1867, dadleuwr digymrodedd dros y degwm a threthi'r eglwys, a thrwy hynny, wrth gwrs, gwrthwynebydd anghymodlon y Parchedig David Rees, Capel Als (1801-1869), amddiffynnwr selog egwyddorion Anghydffurfiaeth. Bu'n gyfrwng i ddiogelu adeiladwaith eglwys hynafol Sant Elli, a bywiogodd fywyd y plwyf, ac felly enillodd ei blwyf yn llythrennol yn nhref Elli. Blagard milwriaethus ydoedd er hynny yng ngolwg llawer; clamp o ddyn parod â'i ddwrn a blaen ei droed, a bu o flaen ei well am hynny (gw. Brenda Lewis, 'Ebenezer Morris – Ficer Cwerylgar Llanelli', *Amrywiaeth Llanelli Miscellany*, W.E.A., 1988 tud. 15-19; ac Arthur Mee, *Llanelly Parish Church*, South Wales Press, 1888, Pennod VII; &c.). Hyd yn oed ac ystyried ei fod yn blentyn ei gyfnod, cymeriad milain oedd Morris, a'i ymddygiad, o gofio ei safle, yn gywilyddus ar brydiau. Disbyddwyd graslonrwydd pobl y dref tuag at ficeriaid anghydffurfiol gydag ef, mae'n debyg, oblegid prin iawn oedd eu hynawsedd ymhen chwarter canrif arall at ficer na chydymffurfiai.

Diarddelwyd D. Morgan Jones o'u plith ac ni ddaeth byth yn ôl. Diwedd y bennod drasig fu ei alltudiaeth i ynys fechan ym mhen draw'r byd. Thursday Island yw un o'r rhai lleiaf yng nghlwstwr ynysoedd culfor Torres sy'n perthyn i Queensland, Awstralia. Ar ôl cyfnod fel tiwtor diwinyddol yng Ngholeg yr

Esgob, Carpentaria, gwasanaethodd Esgobaeth Brisbane mewn sawl ffordd gan gynnwys cyfnodau llwyddiannus fel rheithor Esk a St Colomba, Clayfield, yn ddiweddarach. Cyn i afiechyd ei oddiweddyd bu'n brif gaplan yr Archesgob dros ysbytai Brisbane. Hunodd ddydd Sul, 12 Medi 1937 gan adael y tri phlentyn a fu gynt ar yr aelwyd gythryblus honno yn Llanelli: Mrs H. H. Dixon, priod Esgob Cynorthwyol Brisbane, Miss Vera Morgan Jones a Mr C. Morgan Jones, a oedd yn byw yn Lloegr.

Enillodd glod, parch ac enwogrwydd eithriadol yn Awstralia, nid yn unig fel un o glerigwyr mwyaf ysgolheigaidd Brisbane, ond hefyd fel areithiwr. Mynnai ei hen gyfaill, Y Parchedig L.J. Hobbs, fod ei arddull yn ymylu ar berffeithrwydd, ei eirfa'n syfrdanol a'i feistrolaeth o'r iaith Saesneg yn rhyfeddol (*Courier-Mail,* papur dyddiol Brisbane, 13 Medi 1937, tud. 13, col.2). Cyfeiriodd W. H. W. Stevenson mewn teyrnged (*The Church Chronicle* [Awstralia], 1 Hydref 1937, tud. 737) at ei loywder mewn amryw feysydd, gan gynnwys y llenyddiaethau clasurol, ond cyfeiriodd yntau at ei allu ·fel siaradwr:

> *Synod often listens to good speakers, but there has never been anything like the matchless oratory with which David Morgan Jones pleaded for causes that were dear to him, when his soul was stirred with that passion for righteousness, which seemed at times almost to consume him. Except on these notable occasions he was content to leave affairs to others and confine himself to his work for his Parish, but in the days of his strength a Synod without an outburst from D.M.J. seemed a lost opportunity.*

Hyd yn oed yn ei gystudd, meddai, yr oedd orig yn ei gwmni yn llonni a chynorthwyo person, ac ychwanegodd:

> *... that he has been permitted to spend his ministry among us will be for many a matter of devout thankfulness.*

Ac nid yw'r stori ar ben eto.

Pennod 6

'DEHEUWR BYWIOG
O ATHRYLITH WASGAROG'

Cymdeithas Dafydd ap Gwilym ym Mhrifysgol Rhydychen yw un o'r cymdeithasau Cymraeg mwyaf clodfawr yn y byd. Fe'i disgrifiwyd gan Syr Thomas Parry fel 'meithrinfa cewri' ac, yn wir, bu llu o Gymry blaenllaw ac athrylithgar iawn yn perthyn iddi. Syr John Rhys, Athro Celteg cyntaf Prifysgol Rhydychen a Phrifathro Coleg Iesu, oedd ei llywydd cyntaf pan sefydlwyd hi ym 1886. Ar wahân i Undeb Rhydychen, hi yw'r gymdeithas hynaf o fewn y Brifysgol. Cyfarfodydd wythnosol y Dafydd trwy gyfrwng y Gymraeg yw unig gyfle llawer o'r myfyrwyr i siarad eu mamiaith, ac nid rhyfedd fod cyn-aelodau'n edrych yn ôl gydag anwyldeb ar eu dyddiau yn y Dafydd.

Trafodir hanes y gymdeithas yn ddeheuig a chyfareddol gan yr Athro D. Ellis Evans a'r Dr R. Brinley Jones yn *Cofio'r Dafydd 1886-1986*, Gwasg John Penry, 1987. Ceir peth amwysedd, ond dim llawer, ynglŷn ag eiddo pwy oedd y gronyn gwreiddiol a roddodd enedigaeth i'r syniad o ffurfio cymdeithas i'r Cymry yn Rhydychen. Cytuna pob awdurdod fod D. M. Jones, myfyriwr o Goleg Worcester, yno neu wrth ymyl. Yn wir, bellach y mae safle'r gymdeithas ar y rhyngrwyd yn bendant mai ganddo ef y caed y fflach gychwynnol. David Morgan Jones oedd y gŵr hwnnw, canolbwynt y drafodaeth anarferol yma, a phrif gymeriad drama ryfedd iawn.

Gydag ef yr agorodd T. Rowland Hughes ei erthygl bwysig 'Cymdeithas Dafydd ap Gwilym, Rhydychen' yn *Y Llenor,* Cyf.10, 1931, tud.91:

Diddorol yw darllen mewn papur newydd pell am rhyw Gymro eiddgar yn dadlau hawliau ei hen iaith neu yn anwylo traddodiadau'i genedl. Yng nghinio Gŵyl Dewi Brisbane, Queensland, Mawrth, 1930, clywid y Parch. D.

Morgan Jones yn annerch y Cymry i gadw'u hiaith; galwai yr un llais mewn cinio arall ar Wyddelod i feithrin eu hiaith hwythau, ac yn ei eglwys ychydig fisoedd cyn hynny cyfarfu côr o hanner cant o leisiau Cymreig. Derbyn y Cymro hwn *Y Llenor* yn gyson oddi wrth ei hen gyfaill Syr D. Lleufer Thomas; darllen lyfrau Cymraeg gyda blas, a hiraetha am dawelwch a phrydferthwch Dyffryn Tywi.

Flynyddoedd yn ôl yr oedd yn ficer eglwys St Paul, Llanelli, ac yn ysgrifennu llawer i *Wales*, cylchgrawn ei hen gyd-fyfyriwr Owen Edwards, ond o safbwynt yr erthygl hon rhaid ei weled yn fyfyriwr yng Ngholeg Worcester, Rhydychen. Daeth yno o dref Llandeilo, a'i Gymraeg, gan mai Saesnes oedd ei fam, yn bur anystwyth, ac ysgol Llanymddyfri, ar waethaf ei siarter, wedi ei wneuthur yn well ysgolor yn y clasuron nag yn ei iaith ei hun. Yn Rhydychen, wrth ddarllen yn ei oriau hamdden, y sylweddolodd D. M. Jones gyfoeth iaith a llenyddiaeth Cymru. Swynwyd ef gan delynegion Ceiriog; dechreuodd eu cyfieithu i'r Saesneg, ac, er ei fod yn ei flwyddyn olaf yn y Brifysgol a chymylau'r arholiadau'n croesi'r gorwel, penderfynodd ffurfio Cymdeithas Gymraeg yn Rhydychen. Ymgynghorodd â D. Lleufer Thomas, bachgen arall o ysgol Llanymddyfri, ac o'r un plwyf ag yntau, a chymerwyd y syniad i fyny gyda brwdfrydedd gan rai o'r myfyrwyr Cymreig. Ar ddydd Iau, y chweched o Fai, 1886, yn ystafell Owen Edwards, 15 Museum Terrace, cyfarfu'r 'seithwyr da eu gair', D. M. Jones, Worcester; D. Lleufer Thomas, Non. Coll; J. Morris Jones, Iesu; Owen Edwards, Baliol; J. Puleston Jones, Baliol; Edward Anwyl, Oriel; a J. Owen Thomas, y Coleg Newydd. Yn ôl Syr John Morris Jones (*Cymru*, Ionawr, 1921), awgrymwyd yr enw 'Cymdeithas Dafydd ap Gwilym', gan Owen Edwards . . . Yn ystafell neu, yng ngheiriau'r Gymdeithas, 'o dan nenbren' D. M. Jones, yng ngholeg Worcester, y cynhaliwyd y cyfarfod ffurfiol cyntaf nos Wener, Mai 14.

Un o'r tri ychwanegol a dderbyniwyd y noson honno oedd yr anfarwol W. Llewelyn Williams.

Yr un mor ddiamwys yw'r cyfeiriad at D. Morgan Jones yn *Cofiant John Puleston Jones* gan y Parchedig R. W. Jones, Caernarfon, h.dd., tud. 62, pan ddywedir mai 'oddi wrtho ef y daeth y symbyliad mwyaf i gychwyn y Gymdeithas hon'.

Cyfyd peth amheuaeth er hynny am fod Syr Owen M. Edwards wedi ysgrifennu fel a ganlyn yn *Cymru*, Cyf. 26, 1904, tud. 88:

Wrth ddarllen hen ddyddiadur ddoe, gwelais nodyn fel hyn – 'A fedrir cychwyn cymdeithas Gymreig yn Rhydychen; gofyn i D. M. Jones.' Deheuwr bywiog, o athrylith wasgarog, Eglwyswr, ac aelod o Goleg Worcester oedd D. M. Jones; Gogleddwr araf, diwreichion, Ymneillduwr, ac aelod o Goleg Balliol oeddwn innau. Aethom am dro ein dau gyda'n gilydd, yng ngwanwyn 1886, a meddyliasom pa dda a pha ddrwg ddoi o gymdeithas Gymreig yn Rhydychen.'

Y naill ffordd neu'r llall yr oedd D. Morgan Jones yng nghanol bwrlwm tarddiad Cymdeithas Dafydd ap Gwilym.

Parhaodd ei ddiddordeb dwfn yng Nghymru a'i thrysorau, fel y dengys erthygl T. Rowland Hughes, yr ochr arall i'r byd ac nid yw'n ymddangos iddo ddal dig am ddim wrth neb. Bu'n flaenllaw ym mywyd Cymreig Queensland, a noda Myfi Williams yn benodol yn *Cymry Awstralia*, Christopher Davies, 1983, tud. 167, nad oes yn Brisbane heddiw 'yr eiddgarwch Cymreig a geid yno yn nyddiau D. Morgan Jones'. Olynodd y barnwr a'r gwladweinydd Syr Samuel Walker Griffith (1845-1920), prif farnwr a phrif weinidog y dalaith, fel Noddwr Cymdeithas Dewi Sant, Brisbane. Cystadlaethau Cymraeg oedd rhan helaeth o raglen Eisteddfod Flynyddol y gymdeithas pan ymwelodd yr Athro J. Oliver Stephens â Brisbane ym 1928. Y Gymraeg hefyd oedd unig iaith cyfarfod arall ar yr un achlysur pan draddododd D. Morgan Jones ddarlith ar 'Farddoniaeth

Gyfoes Cymru' (op. cit. tud. 120, 126; a NLW MS 20591 H.94 ff., 110 ff.).

Medr cledr llaw person guddio dinas gyfan neu fynydd mawr os myn, ond yr eironi ydyw i blwyfolion St Paul fod mor gibddall â gadael i gonsyrn am gownt a choleddu coffadwriaeth cyn-ficer, droi yn gwmwl a guddiodd lewyrch seren ddisgleiriach na'r un a dywynnodd yno o'r blaen: 'Canys y mae rhagor rhwng seren a seren mewn gogoniant.'

Pennod 7

Y LLEN

Dymchwelwyd y cerrig beddau ym mynwent St Paul fel sgitls, rhai wysg eu cefn ac eraill ar eu talcennau. Cafodd pob croes gofebol eu twmlo'n ddiseremoni a'u gadael yn y man lle y syrthiasant. Y trymaf o'r croesau yw'r un sy'n lled orwedd wrth wal gefn y tai newydd, ger y fan lle codwyd y tŷ llawer mwy a chrandiach, ym 1854, nad yw'n bod bellach.

Dim ond i'r cyfarwydd neu'r cyhyrog y mae gwybod taw yma, gyda'i briod bedair ar hugain oed Louisa, a gollodd ym 1877, y gorwedd llwch un a losgodd allan yng ngwasanaeth y lle diflanedig:

'My name is Ozymandias . . . '

A rhywle ym mhen draw'r byd hyd ben draw amser y mae llwch yr un a'i dilynodd.

* * *

Un Nadolig eisteddai amryw o gyfeillion ar aelwyd glyd gŵr a gwraig groesawgar o Lanelli. Mwynhau gwydraid o sieri a wnâi un neu ddau ohonynt. Ond, fel mae'n digwydd, nid oedd y naill na'r llall o'u gwesteiwyr yn yfed. Clerc ydoedd ef, tua 70 oed. Atgoffwyd y wraig garedig a soniodd yn fanwl am yr achlysur wrth yr awdur ym mis Tachwedd 1997 o'r adegau pan fyddent yn dychryn ei gilydd fel plant drwy adrodd storïau ysbrydion o flaen y tân. Distawodd y cwmni pan ddwedodd hynny, ac yna meddai gŵr y tŷ yn dawel: 'Rwy i wedi gweld ysbryd!'

'Tynn goes rhywun arall!' ebe priod y ddynes a groniclodd yr hanes, ac ar yr un pryd trodd hithau i edrych ar y sawl a wnaethai'r honiad. Syllodd arnynt heb wên ar ei wyneb ac meddai eto yn bendant:

'Mi welais i ysbryd ym mynwent St Paul.'

Gwyddent bellach ei fod o ddifri oblegid yr eglwys oedd bywyd ei rieni, bu yntau'n gôr-fachgen yno ac ni wnâi fyth dynnu coes ynglŷn â dim oll a oedd yn ymwneud â'r eglwys. Dyma'i stori mor fanwl ac mor agos at y gwreiddiol ag y gellir heb ymestyn na lliwio dim arni:

Ar fore'r Nadolig y digwyddodd y peth. Gan mai fy nhad oedd y Warden Eglwys euthum gydag ef fel arfer i baratoi beth bynnag a oedd yn angenrheidiol ar gyfer yr Ŵyl. Buaswn yno yn ei helpu bob amser ac yr oeddwn yn gynefin â'r fynwent. Wrth imi fynd lawr dros y grisiau sydd yn y fynwent y bore hwnnw yn sydyn teimlais bresenoldeb, aeth popeth yn iasoer ac yna gwelais y ddrychiolaeth.

Taerai'r sawl a'i clywodd yn adrodd yr hanes nad oedd yn ddyn i or-ddweud. Ni wnâi ymhelaethu ar ei ddatganiad, ond ni wyrai oddi wrtho chwaith, ac ni fynnai drafodaeth ar y mater. Gwelsai rywbeth dychrynllyd ym mynwent St Paul y bore Nadolig hwnnw. Rhywbeth nad oedd o'r byd hwn.

CYFRES
DAL Y GANNWYLL

Cyfres sy'n taflu ychydig o olau
ar y tywyll a'r dirgel.
Golygydd y gyfres:
LYN EBENEZER

'Mewn Carchar Tywyll Du'
Hunangofiant Warden Carchar
D. Morris Lewis
Rhif Rhyngwladol: 0-86381-671-1; £3.99

Beth yw tarddiad y gair 'sgriw' am swyddog carchar? Os meddyliwch chi am garchar fel bocs, yna y sgriwiau sy'n dal popeth gyda'i gilydd. Dyna esboniad awdur *Mewn Carchar Tywyll Du*, cyfrol sy'n gwbl unigryw. Ynddi ceir hanes llanc ifanc o lannau'r Teifi a aeth yn swyddog carchar, gan godi i fod yn Rheolwr Gweithredol. Yn ystod gyrfa 35 mlynedd yn rhai o garchardai caletaf gwledydd Prydain, gan gynnwys Dartmoor, daeth D. Morris Lewis i gysylltiad â'r dihirod mwyaf didrugaredd. Bu'n gwasanaethu droeon yng nghell y condemniedig ar noswyliau crogi ac ef yw'r unig gyn-swyddog sydd ar ôl bellach a fu'n gyfrifol am weinyddu'r gosb o chwipio. Yn ogystal ag adrodd ei hanes mae ganddo hefyd ei safbwyntiau dadleuol ei hun ar gyfraith a threfn.

Gwenwyn yn y Gwaed

Pedwar achos o golli bywyd mewn amgylchiadau amheus
Roy Davies
Rhif Rhyngwladol: 0-86381-672-X; £3.99

Ystyrir y cyn-Dditectif Uwch-Arolygydd Roy Davies erbyn hyn yn un o brif gofiannwyr achosion o dor-cyfraith yng Nghymru. Yn awdur nifer o gyfrolau ar y pwnc, fe aeth ati yn *Gwenwyn yn y Gwaed* i gofnodi pedwar achos. Mae 'Hen Dwrne Bach Cydweli' yn olrhain hanes clasurol Harold Greenwood. Yn 'Ar Wely Angau', cawn hanes cythrwfl teuluol a arweiniodd at drychineb. Yn 'Y Corff yn y Gasgen', clywn am un o'r achosion mwyaf bisâr mewn hanes, tra bod 'Y Gŵr a Surodd y Gwin' yn rhoi gwybod i ni am ran yr awdur ei hun mewn datrys llofruddiaeth merch ifanc. Yn 1999, enillodd yr awdur radd MA mewn Ysgrifennu Creadigol yng Ngholeg y Drindod, Caerfyrddin.

Yr Ymwelwyr

O'r gofod i Gymru
Richard Foxhall
Rhif Rhyngwladol: 0-86381-673-8; £3.99

Mae'r awdur ei hun wedi bod yn llygad-dyst i oleuadau a cherbydau rhyfedd yn yr awyr uwch Dyffryn Nantlle. Sbardunodd hynny ei ddiddordeb mewn soseri hedegog ac UFOs a dechreuodd gasglu gwybodaeth am brofiadau tebyg, gan ganolbwyntio ar Gymru a theithwyr o'r gofod. Daeth ar draws tystiolaeth syfrdanol, ac ar ôl iddo blagio'r Weinyddiaeth Amddiffyn am flynyddoedd, fe lwyddodd i gael honno, hyd yn oed, i ddatgelu peth gwybodaeth ddadlennol.

Achos y Bomiau Bach
Hanes Achos Mudiad y Gweriniaethwyr
Ioan Roberts
Rhif Rhyngwladol: 0-86381-674-6; £3.99

'Wrth i raglen Cyn Un ddechrau daeth y ddau ddyfarniad cyntaf. Dau yn ddieuog ar bob cyhuddiad. Rhuthro allan i giosg a thorri'r newydd yn ddigon carbwl i'r genedl. Erbyn trannoeth, roedd tri arall yn rhydd, ac achos llys drutaf Cymru ar ben wedi naw wythnos a hanner. A'r cyhuddiadau'n tasgu – yn erbyn y plismyn!'

Mae'r achos cynllwynio yn Llys y Goron Caerdydd yn 1983, a chwalodd y Mudiad Gweriniaethol Sosialaidd Cymreig, yn dal i'w gael ei ddyfynnu mewn achosion eraill. Wrth ei wraidd roedd pwy oedd yn dweud y gwir, y cyhuddedig ynteu'r plismyn, ynglŷn â chyffesiadau honedig, a manylion fel y 0.3 gram o gemegyn a 'ddarganfuwyd' mewn llofft yng Nghwm Rhymni. Wedi deunaw mlynedd mae'r diffynyddion yn dal yn flin, Heddlu De Cymru'n dal yn y doc, rhai o'r bargyfreithwyr yn sêr, a phwy bynnag fu'n gyfrifol am y bomiau a'r tanau a'r bygythiadau a fu'n sail i'r cyfan yn dal mor anweledig â Merched Beca. Roedd Ioan Roberts yn ohebydd i Radio Cymru yn y llys. Yn y gyfrol hon, mae'n ail-fyw peth o ddrama'r achos, y digwyddiadau a arweiniodd ato, a'r effaith a gafodd.

'Mae Rhywun yn Gwybod . . . '
Ymgyrch Losgi 1979-1994
Alwyn Gruffydd
Rhif Rhyngwladol: 0-86381-675-4; £3.99

Roedd llwyddiant ymgyrch losgi Meibion Glyndŵr yn ddibynnol ar ewyllys da gwerin gwlad – a hynny yn nannedd ymgyrch daer iawn am wybodaeth gan yr heddlu a'r gwasanaethau cudd. Ar lefel y boblogaeth leol, cafodd yr ymgyrch groeso a gafodd ei amlygu mewn caneuon, sloganau, crysau-T – a thawelwch. Mae'r gyfrol hon yn cynnwys agwedd ar yr hanes na ddaeth i'r amlwg yn adroddiadau newyddiadurol ac ymateb gwleidyddion y cyfnod.